D0718908

Une voix dans la nuit

CAROLE BUCK

Une voix dans la nuit

COLLECTION ROUGE PASSION

Cet ouvrage a été publié en langue anglaise
sous le titre :
DARK INTENTIONS

Traduction française de
CATHERINE BERTHET

Originally published by SILHOUETTE BOOKS,
division of Harlequin Enterprises Ltd.
Toronto, Canada

83-85, boulevard Vincent-Auriol, 75013 Paris — Tél. : 42 16 63 63
ISBN 2-280-11430-5 — ISSN 0993-443X

Prologue

Dans un éclair fulgurant, Jim Archer Williams eut la vision de sa propre mort.

Il allait mourir. Seul. A un train d'enfer.

C'était sa faute, il conduisait trop vite. Il conduisait toujours trop vite lorsqu'il était seul. Et la solitude était, hélas, l'état qui lui convenait le mieux.

Jim n'avait jamais recherché l'approbation ou l'affection de son entourage. Exception faite pour quelques personnes qui lui étaient particulièrement chères, il n'avait que faire de l'opinion des autres. En retour, il n'attendait rien d'eux. Les seuls dont il exigeait quelque chose, c'étaient ses employés. Quand il engageait quelqu'un à son service, il en voulait pour son argent.

Jim appuya sur la pédale de frein et braqua le volant de toutes ses forces. Pendant un dixième de seconde, il crut que la voiture allait se maintenir sur la route. Puis il comprit qu'il avait perdu la partie.

« Dommage pour la voiture », songea-t-il soudain. C'était une mécanique fantastique, une véritable œuvre d'art. Il avait dépensé une fortune pour l'acquérir. De plus, elle possédait l'élégance et la classe des voitures italiennes. C'était exactement le genre de véhicule que son père, aujourd'hui décédé, avait toujours méprisé.

Son père. S'il le voyait du fin fond de l'enfer, ce vieux démon devait bien rire à ses dépens ! Quel drôle de...

... La voiture rouge et flambant neuve de Jim Williams s'écrasa brutalement contre un talus. A cet instant précis, une image surgit dans la mémoire de Jim. Un souvenir vieux de dix ans.

Des yeux.

De superbes yeux, couleur d'aigue-marine.

Un visage en sang, tuméfié et, dans ce visage, des yeux qui le suppliaient. Un regard qui le transperçait jusqu'au fond de l'âme.

C'était par une nuit glaciale, dix ans auparavant.

— Je... vous en prie... ne partez... pas..., balbutiait l'adolescente aux yeux d'aigue-marine.

Il lui faisait la promesse de ne pas l'abandonner. Mais finalement, il partait. Sans un mot. Sans un regard derrière lui.

Et maintenant, il était trop tard pour réparer.

Mon Dieu...

Trop tard pour...

Mon... Dieu...

Jim Archer Williams se sentit happé par l'obscurité.

Julia Kendricks cligna des yeux, aveuglée par la vive lumière de midi.

Un sanglot douloureux lui serra la gorge. Des larmes lui piquèrent les yeux. « Oh, non. Pas comme ça. Mon Dieu, je ne voulais pas que ça se passe comme ça ! »

Elle se frotta les yeux, avant de relire le titre de l'article qui s'étalait en première page du journal. Cette photo... ce visage... elle l'aurait reconnu entre mille. Il ne s'était jamais effacé de sa mémoire.

Le journal de Boston était daté du 27 octobre.

« Jim A. Williams, âgé de 36 ans, propriétaire et P.-D.G. de la firme Williams Venture, Inc., grièvement blessé la nuit dernière dans un accident de la route. »

Julia tremblait comme une feuille. Dans un brouillard, elle déchiffra les quelques lignes qui suivaient.

« ... diverses contusions... de graves blessures à la tête qui, selon le Dr Dennis Mitchell, médecin personnel de Williams, auraient entraîné... »

— Oh, non, pas ça... pas les yeux...

Julia froissa le journal entre ses mains. Une image du passé resurgit avec une clarté étonnante.

Elle ressentit de nouveau le froid qui la transperçait. Et la honte... la honte insoutenable.

La peur... la souffrance...

« Tout va bien », lui avait dit cet homme. Un homme qu'elle ne connaissait pas, qu'elle n'avait jamais vu et dont elle n'avait appris le nom que beaucoup plus tard. Il avait saisi délicatement sa main souillée de terre.

Ce simple geste l'avait réconfortée, lui avait réchauffé le cœur. L'espace d'un instant, elle avait oublié le froid et la peur et elle avait repris espoir dans la vie.

— Vous n'avez plus rien à craindre maintenant, avait-il poursuivi. Les secours vont arriver, on va vous aider.

Julia frémit.

Dix ans... Depuis dix ans, elle attendait...

Mais elle n'avait pas voulu que les choses se passent ainsi ! Oh, non, non, Dieu lui était témmoin que jamais elle n'avait souhaité une chose pareille !

Julia Kendricks contempla encore une fois la photo de Jim Archer Williams.

— Tout va bien, murmura-t-elle en passant doucement le doigt sur l'image en noir et blanc. Je vais vous aider...

Et soudain, la journée lui parut encore plus chaude et plus lumineuse qu'auparavant.

1.

La lumière du monde lui était désormais refusée. Jim Williams était plongé dans la nuit.

Au cœur de cette nuit, se trouvait une femme dont le nom était Julia Kendricks. Agée de vingt-six ans, Julia enseignait aux aveugles à se mouvoir dans un monde obscur. Dennis Mitchell l'avait adressée à Jim.

Dennis avait insisté pour que Jim engage la jeune femme.

— Son aide te sera infiniment précieuse, avait-il déclaré.

Jim grimaça.

Son *aide.*

Un mot de rien. Deux syllabes qu'il détestait. Qui lui faisaient prendre pleinement conscience de sa faiblesse.

Pourtant, sa cécité ne pouvait être que temporaire ! Impossible qu'il en soit autrement !

Cinq semaines auparavant, le 27 octobre, il s'était éveillé dans une obscurité totale, et depuis, sa condition ne s'était nullement améliorée.

Cependant, aucun médecin ne pouvait affirmer qu'il avait définitivement perdu la vue. Non, aucun. Et lui, Jim, il *savait* qu'il recouvrerait l'usage de ses yeux. Une fois guéri, il n'aurait besoin de l'aide de personne.

Surtout pas de cette Julia Kendricks.

Pour faire plaisir à Dennis, il allait cependant lui donner une chance. Ça ne coûtait rien. De toute façon, cette fille ne tiendrait pas. Pas plus longtemps que toutes les autres, en tout cas. Jim était prêt à parier n'importe quoi que dans moins de huit jours, la protégée de Dennis aurait quitté sa luxueuse demeure de Commonwealth Avenue et qu'il l'aurait totalement oubliée.

Parce qu'il fallait qu'il l'oublie.

Et qu'il devinait déjà que ce serait difficile.

Car même si cette femme n'était apparue dans sa vie que trente minutes auparavant, dès le début de leur entrevue, il avait perçu chez elle quelque chose de... *différent*.

Jim avait décidé de la recevoir dans son bureau. C'était la seule pièce de la maison où il se sentait à peu près à son aise. Bien qu'il soit sorti de l'hôpital depuis près de trois semaines, sa demeure lui paraissait encore étrangère, presque hostile. Quant au monde extérieur, il était...

Seigneur... il préférait ne pas penser à l'extérieur.

Dans son bureau, au moins, il connaissait précisément la place de chaque objet. Aveugle ou pas, il savait où il était. Il pouvait imaginer le large bureau de chêne et retrouver sans hésitation ses stylos, son bloc de papier, son téléphone. S'il se levait, il savait que huit pas le séparaient de la porte et que celle-ci donnait directement sur le hall d'entrée.

Tant qu'il était dans son bureau, il ne risquait pas de trébucher. Pas d'embûche. Pas de piège. Nul besoin de chercher à tâtons le bras d'un fauteuil pour se guider.

Jim se redressa un peu sur son siège.

— Avez-vous d'autres questions à poser, mademoiselle Kendricks ?

— Je ne pense pas, monsieur Williams. Vous m'avez présenté ma tâche d'une façon très claire.

Jim laissa quelques minutes s'écouler en silence, la tête tournée vers l'endroit où Julia se tenait assise. Comme elle était troublante, cette femme, avec sa voix douce et mélodieuse ! Excessivement troublante...

— Et vous pensez vraiment que vous parviendrez à me faire accepter ma cécité ? s'enquit-il de but en blanc.

La réponse fusa, franche, sans équivoque :

— Non.

— Non ?

— Personne ne peut vous faire accepter cette situation. Si vous y parvenez un jour, vous y parviendrez seul, par votre propre volonté.

La voix de Julia était calme et sereine. Mais sous la douceur apparente, on sentait la force, la fermeté. « Une main de fer dans un gant de velours », songea Jim.

— ... A supposer, bien sûr, que vous ayez de la volonté, ajouta la jeune femme sans changer le ton de sa voix.

Jim agrippa les bras de son fauteuil, réprimant mal un élan de colère. Cette femme se permettait-elle de le juger ? Déjà ? Pour qui se prenait-elle donc ?

— Et que se passera-t-il si je n'ai pas la volonté nécessaire, mademoiselle Kendricks ?

— Je...

Pour la première fois depuis le début de leur entretien, Julia Kendricks hésita.

— Je ne peux pas répondre à cette question, déclara-t-elle enfin.

Jim n'allait pas laisser passer une si belle occasion de la remettre à sa place.

— Et que pouvez-vous faire pour moi, au juste ?

Une autre hésitation. Puis la réponse, concrète, sincère :

— Vous apprendre à ne pas trébucher sur les meubles et à ne pas vous cogner contre les murs.

Il fallut plusieurs secondes à Jim pour admettre qu'il avait bien entendu. Puis une bouffée de colère le submergea. Il aurait aimé hurler, ordonner à cette femme de sortir.

Pourtant, il n'en fit rien. Quelque chose... un sentiment

étrange... l'en empêcha. Un soupçon d'admiration naquit dans son cœur pour cette femme hors du commun qui ne cherchait pas à embellir la vérité. Quel aplomb ! se dit-il en ravalant sa fureur.

Jim Williams savait qu'il n'avait pas un caractère facile. Il savait également que sa fortune et sa position dans la société lui autorisaient un comportement parfois à la limite de la correction. Bref, pour son entourage, il n'était pas le plus souple des hommes. Cependant, depuis son accident, son caractère s'était encore durci. Et il s'était aperçu que l'on tolérait chez lui des éclats de voix et des scènes que nul n'aurait accepté *avant*.

Tous ces gens voulaient bien faire, sans doute. Ils espéraient sincèrement l'aider et lui faire plaisir. Mais en fait, ils parvenaient tous au même résultat, désespérant : persuader Jim qu'il était infirme et incapable de se débrouiller seul.

Dans ce concert de bienveillance pitoyable, la voix de Julia était tout à fait différente. En quelques mots, elle venait de lui faire comprendre qu'elle ne se laisserait pas tyranniser. Qu'elle ne serait pas complaisante.

Jim se leva. Un froissement d'étoffe lui indiqua que Julia en faisait autant.

— Emerson va vous montrer votre chambre, lui dit-il. Dès que vous serez installée, vous pourrez me dispenser votre première leçon.

Admirative, Julia considéra la vaste chambre décorée de rose et de blanc ivoire, qu'on lui avait attribuée. Celle-ci avait été aménagée avec un goût exquis. Des tapis précieux recouvraient le sol et le mobilier ancien était superbe. En dépit de son luxe, loin d'être intimidant, ce décor créait une atmosphère sereine et apaisante.

La sérénité... voilà exactement ce dont elle avait besoin ! songea Julia en soupirant. Cette entrevue avec

Jim Williams s'était révélée plus éprouvante encore qu'elle ne l'avait craint.

Naturellement, elle s'était attendue à être confrontée à une situation difficile. Le Dr Mitchell l'avait prévenue. Mais elle n'avait pas imaginé recevoir un tel choc...

... En revoyant l'homme qui, dix ans auparavant, l'avait littéralement tirée du ruisseau.

Elle tremblait comme une feuille en pénétrant dans le bureau de Jim Williams et lorsqu'elle s'était trouvée face à lui, l'émotion l'avait tout bonnement submergée.

Et puis elle avait été surprise... Bien qu'elle ait gardé toutes les photos de lui publiées dans la presse depuis dix ans, elle avait été stupéfaite de découvrir son visage d'aujourd'hui. Ces fils argentés sur ses tempes, ces rides aux coins des yeux, ce pli amer sur les lèvres... c'était tout à fait inattendu.

Mais ce qui l'étonnait le plus, c'était la fureur qui habitait cet homme. Oui, Jim Williams était devenu un être de colère.

Sa première réaction, spontanée, viscérale, avait été de se précipiter vers lui et de le prendre dans ses bras pour le consoler comme un enfant. Ce qu'elle voulait, c'était l'aider, lui apporter le réconfort qu'il lui avait offert autrefois, n'est-ce pas...

Fort heureusement, elle était parvenue à maîtriser cet élan. Car elle avait eu l'intuition que tout ce qui pouvait ressembler à de la pitié — et même de la compassion — devait mettre Jim hors de lui.

En moins d'une minute, elle s'était donc fixé une stratégie : garder une attitude strictement professionnelle. Ne faire en aucun cas intervenir de sentiments personnels dans leurs relations. Elle serait aimable, voire agréable. Mais s'il la provoquait, elle riposterait sans hésiter.

Tout le long de leur entretien, elle s'était efforcée de s'en tenir à ces principes. Mais... l'hostilité de Jim, l'expression de ses yeux sombres, l'avaient effrayée.

Quelle fureur, quelle folle énergie, chez cet homme ! Pendant un instant, elle avait cru qu'il allait exploser, et la jeter dehors sur-le-champ.

Puis soudain, quelque chose avait changé. Alors même qu'elle s'apprêtait à perdre contenance, elle avait vu son visage se détendre. Et il lui avait annoncé qu'Emerson allait lui montrer sa chambre.

— Mademoiselle Kendricks ?

Julia sursauta. Se ressaisissant à grand-peine, elle se retourna et fit face au maître d'hôtel de Jim. Emerson n'avait pas d'âge. Sa chevelure argentée le vieillissait certainement, mais ses gestes avaient l'assurance et la vigueur de ceux d'un homme en pleine possession de ses moyens. Il pouvait avoir entre cinquante et soixante ans.

— Oui ?

— La chambre vous déplaît-elle ?

— La chambre ? Oh...

Julia hocha la tête, comprenant que le valet avait mal interprété son long silence.

— Oh, non. Pas du tout. Elle est ravissante.

Emerson la considéra sans mot dire pendant une interminable minute.

— C'était la pièce préférée de Mme Williams, fit-il enfin remarquer.

Une pointe d'accent irlandais perça dans sa voix, donnant une intonation chantante à ses sombres paroles. Julia fit le tour de la chambre du regard. Le lit, immense, était couvert d'une courtepointe de satin ivoire et de coussins en dentelle. Un lit de femme...

— Mme Williams ?

— La mère de Jim, précisa Emerson.

Julia ne put réprimer un léger soupir de soulagement. Elle savait, bien sûr, que Jim n'était pas marié. Mais d'après ce qu'elle avait lu dans les journaux, il était loin de mener une vie de moine. Et il était fort possible que...

Bref, elle préférait savoir qu'aucun fantôme ne hantait cette chambre.

— Vous avez peut-être remarqué son portrait, reprit Emerson. Dans le bureau.

Le regard de Julia croisa celui du maître d'hôtel. L'homme la dévisageait sans dissimuler son intérêt. Elle soutint un moment son regard, puis détourna les yeux.

En fait, elle n'avait pas observé avec attention le bureau de Jim. Elle était bien trop préoccupée par cette première rencontre. La seule chose qui l'avait frappée, c'était l'ordre qui régnait dans la pièce. Julia approuvait l'ordre. C'était la meilleure façon de donner une impression de sécurité à une personne aveugle. De toute évidence, les objets figurant sur la table de travail de Jim avaient été soigneusement rangés, à un endroit précis...

— Le portrait dans un cadre d'argent, se rappela-t-elle soudain.

Et elle se remémora le long visage fin et délicat, auréolé d'une chevelure brune et ondulée.

— Tout à fait.

Julia fronça les sourcils, pensive.

— Elle était très belle, déclara-t-elle enfin en levant la tête vers Emerson.

Très belle... mais son expression était d'une tristesse infinie. Toutefois, Julia se garda de faire cette remarque à haute voix.

Une ombre passa sur le visage du maître d'hôtel.

— Oui, ajouta-t-il doucement. Mme Williams était très belle.

— Vous la connaissiez bien?

C'était plus une constatation qu'une question.

— J'ai commencé à travailler dans cette maison quelques années après son mariage avec M. Williams.

Julia se dit alors que le valet avait habilement éludé sa question. Il y eut une pause, puis Emerson toussota discrètement, avant de lui demander :

— Aurez-vous besoin d'autre chose pour vous installer, mademoiselle Kendricks?

Malgré la curiosité qui la tenaillait, la jeune femme renonça à le questionner davantage sur Mme Williams.

— Non, merci, répondit-elle simplement. J'ai tout ce qu'il me faut.

— Très bien.

L'homme tourna les talons et se dirigea vers la porte.

— Euh... monsieur Emerson ?

— Non. Seulement Emerson.

— Je vous demande pardon ?

— Appelez-moi Emerson. Mon nom est Talley O'Hara Emerson. Inutile de dire « monsieur ».

— Oh... je vois.

Julia hésita, perplexe. Devait-elle lui demander de l'appeler par son prénom ? Quelque chose lui dit que cette idée déplairait au maître d'hôtel et elle y renonça.

Cependant, il fallait qu'elle ait une petite discussion avec lui. Le problème, c'est qu'elle ne savait par où commencer.

— J'ai cru comprendre que vous viviez ici ? finit-elle par lui demander.

— Oui, mademoiselle. Au dernier étage. Il y a également une gouvernante, Mme Wolfe, mais celle-ci n'habite pas ici. Elle vient chaque matin, ainsi qu'une jeune femme qui fait le ménage.

— Oh...

Pensive, Julia chassa d'une chiquenaude un fil blanc sur la manche de son gilet de laine.

— Mais... M. Williams a eu d'autres instructeurs, n'est-ce pas ? Je veux dire... depuis son accident. D'autres personnes ont essayé de l'aider ?

Emerson haussa les épaules et ses lèvres esquissèrent une moue.

— Quelques-unes. Aucune n'est restée très longtemps.

Julia releva le menton, d'un air de défi.

— Je resterai.

Elle crut voir un éclair malicieux briller dans les yeux bleu pâle du valet.

— Oh, je n'en doute pas, mademoiselle.

Encouragée, Julia décida cette fois d'aller droit au but.

— Ecoutez, Emerson. J'ignore comment vous vous entendiez avec les autres instructeurs. Mais je veux que vous sachiez que ce travail est très important pour moi. J'espère que vous m'aiderez. Cependant, je ne sais pas exactement quelles sont vos responsabilités...

— Je fais tout ce que j'estime nécessaire, mademoiselle Kendricks, affirma tranquillement Emerson. Et vous pourrez compter sur mon aide à tout moment.

— Eh bien, Emerson? s'enquit Jim en tambourinant du bout des doigts sur son bureau. Qu'en pensez-vous?

— Vous voulez parler de Mlle Kendricks?

— Oui.

— Etrange.

Il y eut un long silence. Jim mena un difficile combat intérieur. Finalement, il se décida à poser la question qui lui brûlait les lèvres.

— Comment est-elle?

— Mmm...

Emerson réfléchit longuement avant de répondre.

— Environ un mètre soixante-dix. Un corps mince et souple, aux proportions agréables. De longs cheveux blonds... dorés comme du miel.

— Une blonde? s'exclama Jim, stupéfait.

D'après la voix de la jeune femme, il s'était imaginé une brune piquante.

— Et un vrai teint de blonde, monsieur. Ses yeux sont d'une couleur exceptionnelle. A mi-chemin entre le bleu et le vert. Je dirais... aigue-marine.

— Assez de détails. En d'autres termes, elle est jolie, conclut Jim d'une voix coupante.

Il eut un mouvement de mauvaise humeur. Que Julia Kendricks soit belle ou non, quelle importance? Pour lui, cela n'en avait plus aucune.

En revanche... cela en avait sans doute pour Dennis Mitchell. Cette idée le frappa brusquement. Pourquoi son ami lui avait-il si chaleureusement recommandé cette fille? Parce qu'il s'intéressait à elle? Oui, bien sûr, la question ne se posait même pas...

— Mlle Kendricks est en effet très jolie, poursuivit Emerson. Mais avec discrétion.

— Avec discrétion? Que voulez-vous dire?

Il y eut une pause. Au bout de quelques secondes, Emerson soupira.

— Je ne sais pas vraiment. Peut-être fait-elle partie de ces femmes qui n'accordent pas beaucoup de valeur aux apparences. Les vêtements, le maquillage.

— Elle porte pourtant du parfum, rétorqua Jim.

Il se sentit alors délicieusement troublé au souvenir de ce parfum. Quand Julia lui avait serré la main, il avait perçu cette senteur fraîche et légère qui l'enveloppait. Cela n'avait rien à voir avec les parfums capiteux dont s'enveloppaient la plupart des femmes de sa connaissance, mais c'était... infiniment plus émouvant.

— Du parfum? répéta Emerson, étonné. Je ne m'en suis pas rendu compte.

Jim se renversa dans son fauteuil et émit un petit rire amer.

— Si j'avais pu la regarder, cela m'aurait peut-être échappé, à moi aussi. Mais je vous l'affirme, Emerson, elle porte un parfum. Un vrai parfum de femme...

2.

Jim fit un pas en avant et balança furieusement sa canne devant lui.

Il n'aurait jamais dû poser cette question. Jamais !

L'apparence de Julia Kendricks ! Qu'est-ce que cela pouvait bien lui faire ? Il ne réussissait qu'à se torturer !

Depuis plus de deux semaines, depuis qu'elle était arrivée et qu'il avait voulu savoir, il tentait — en vain — d'imaginer son visage. Bon sang, la description d'Emerson n'avait fait qu'exacerber sa curiosité — sa curiosité d'homme —, déjà réveillée par le timbre doux et chaleureux de la voix, le délicieux parfum des cheveux, le...

Assez !

Il avança en hésitant. Un pas. Un autre. Puis encore un autre...

Julia Kendricks... Moins il en savait sur elle et mieux cela valait.

Naturellement, si l'envie lui en prenait, il pouvait toujours obtenir tous les renseignements qu'il désirait à son sujet. En tant que P.-D.G. d'une importante société, il avait les moyens de découvrir tous les petits secrets de cette fille. Il était peut-être aveugle, maintenant, mais il n'avait rien perdu de son pouvoir ! Une simple enquête, rapide et discrète, et hop ! il connaîtrait tous les détails de la vie de Mlle Kendricks.

Seulement voilà : il n'avait pas envie d'exercer ses pouvoirs dans ce domaine.

Envie de mieux connaître Julia Kendricks, oui. Mais pas comme ça...

Jim devait bien admettre que Julia l'intriguait. Avec lui, malgré la mauvaise volonté qu'il lui opposait, la jeune femme faisait preuve d'une ténacité peu commune. Dire qu'il s'était imaginé qu'elle abandonnerait son poste au bout de quelques jours! Pour une fois, il s'était trompé. En fait, la protégée de Dennis Mitchell prenait de jour en jour une place plus grande dans la maison de Commonwealth Avenue.

Pourtant, les occasions ne lui avaient pas manqué de partir en claquant la porte! songea Jim. Mais, pour une raison qui lui échappait, la jeune femme avait décidé de rester et de s'accommoder du caractère insupportable de son élève.

Non qu'elle se soit pliée à tous ses caprices. Bien au contraire. *Que pouvez-vous faire, au juste?* avait-il demandé lors de leur première entrevue. *Vous apprendre à ne plus vous cogner contre les murs.* Cet échange verbal plutôt vif avait établi les bases de leur relation. Julia ripostait toujours par...

Tout à ses pensées, Jim se cogna contre quelque chose. Déséquilibré, il laissa tomber sa canne — sa nouvelle alliée dans son combat quotidien contre l'obscurité — qui frappa le sol bruyamment, et il agrippa le meuble contre lequel il avait buté. Il lui fallut plusieurs secondes pour comprendre ce que c'était.

— Une chaise! Que diable fait-elle au beau milieu du hall? s'exclama-t-il, envahi par une bouffée de rage.

— Elle est là pour vous rappeler que vous ne vous concentrez pas sur l'exercice.

La voix calme et posée de Julia résonna derrière lui.

Jim crut entendre la jeune femme se déplacer dans le hall. Le bruit de ses pas était presque imperceptible... Lors de leur première entrevue, elle portait des souliers à talons — il avait entendu leur cliquetis sur le parquet du couloir — mais depuis qu'elle travaillait avec lui, elle avait adopté des chaussures plates. Si bien que quand elle ne parlait pas avec lui, il était impossible à Jim de la localiser dans une pièce.

Il entendit une latte de parquet craquer et se raidit. Instinctivement, il tourna la tête. Mon Dieu, comme il détestait sa condition actuelle... Cette incessante obscurité. Cette impression d'être toujours sur la défensive. Cette constante dépendance vis-à-vis d'étrangers dont il ne connaissait pas le visage... C'était *horrible*. Détestable.

— Julia ?

— Je suis là, monsieur Williams.

Un parfum frais et léger l'enveloppa et il sentit qu'on lui mettait un objet dans la main. Il reconnut la canne. Ses doigts agrippèrent le pommeau et il poussa un soupir.

— Rappelez-vous que cette canne vous est indispensable pour vous guider. C'est une partie de vous-même. C'est *elle* qui doit se cogner contre les obstacles, et non pas vous.

Réprimant un juron, Jim crispa les doigts sur l'objet détesté, le symbole de son infirmité. Soudain, il se rappela la conversation qu'il avait eue avec Julia quand elle lui avait remis cette canne, quelques heures à peine après qu'il l'eut engagée. Pris d'une furieuse envie de jeter le maudit objet aux orties, il s'était exclamé d'un ton sardonique :

— Vous avez oublié quelque chose ! Où est ma sébile ?

A cet instant, Julia avait inspiré violemment et Jim s'était dit qu'il venait de marquer un point. Il avait enfin réussi à la mettre en colère ! Mais, contre toute attente, la jeune femme s'était mise à rire. Un rire doux et sensuel, qui l'avait fait frissonner.

— Une sébile ? Non, monsieur Williams, ce n'est pas ce qu'il vous faut. Pour un homme aussi riche que vous, je verrais plutôt une coupelle en argent, gravée à vos initiales. Mais avant d'aller mendier dans les rues, je pense que vous devriez acquérir quelques notions de base pour vous déplacer. Nous allons commencer tout de suite avec cette canne...

Jim fit un effort pour se calmer. Revenant au moment présent, il tapota la chaise.

— Quand avez-vous déplacé ce meuble?

— Ce n'est pas moi qui l'ai fait, c'est Emerson.

Deux semaines auparavant, Jim n'en aurait pas cru un mot. Mais les choses avaient changé. Bien qu'Emerson fût d'une indéfectible loyauté envers lui, il n'ignorait pas que le valet avait conclu une sorte d'alliance avec Julia Kendricks dès le jour de son arrivée.

— C'est Emerson qui a eu l'idée de la déplacer? questionna-t-il après une courte pause.

— Oh, non! C'est moi. Emerson suggérait un obstacle différent, quelque chose qui se renverserait si vous vous y cogniez. En fait, il pensait à l'un de ces paravents orientaux qui ornent le salon.

Jim demeura sans voix. Ces paravents étaient anciens et avaient une immense valeur. Parmi tous les objets d'art réunis dans cette maison, c'étaient les meubles préférés de son père. Des années auparavant, alors qu'il n'était encore qu'un enfant, Jim avait accidentellement trébuché contre l'un d'entre eux. Et trente ans après, il se rappelait encore la formidable correction que Archer Williams lui avait administrée ce jour-là.

— Emerson pensait que la chute d'un paravent serait plus impressionnante que celle d'une chaise, poursuivit Julia.

— Oh, certainement, répliqua Jim d'un ton pincé.

Guettait-elle sa réaction? se demanda-t-il avec amertume. Allait-elle le questionner sur ce douloureux souvenir? Probablement pas. Bien qu'elle ait pris une place prépondérante dans sa vie, Julia ne montrait pas la moindre inclination à se mêler de ses affaires personnelles.

A moins...

A moins qu'elle ne sût obtenir d'une autre façon les renseignements qu'il lui fallait. En interrogeant Emerson, par exemple.

A cette pensée, Jim fronça les sourcils. Si Julia questionnait le valet, dans son dos, ... que pouvait-il lui révéler? Que savait-il exactement sur les gens qui l'employaient depuis trente ans?

Jim soupira.

Emerson savait beaucoup de choses. Oui, Talley O'Hara Emerson en savait sans doute plus que n'importe qui sur la famille Williams.

Jim se passa une main dans les cheveux, conscient qu'il venait de faire une grave découverte. Jusqu'à présent, il n'avait jamais pris le temps de penser à Emerson et au rôle que celui-ci jouait dans sa vie. Il avait toujours accepté la présence du valet, comme une chose naturelle et inoffensive.

Emerson avait toujours été là, discret, efficace, attentif.

Fallait-il se méfier de lui...?

Le maître d'hôtel était très bien rémunéré, naturellement — Jim était convaincu que l'argent était la principale motivation de tous les êtres humains. Pourtant, son comportement généreux et altruiste pouvait avoir d'autres explications.

Et Julia Kendricks? Par quoi était-elle motivée?

Dix-sept jours auparavant, il ignorait encore son existence! Et pourtant, elle s'était lancée auprès de lui dans une véritable croisade personnelle.

Soudain, Jim se sentait comme entouré de présences mystérieuses, dont il lui semblait ignorer les desseins. Décidément, avoir perdu la vue était, aussi, en train de lui faire perdre la tête...

— Monsieur Williams?

Jim tenta de s'orienter. Elle avait encore changé de place! A présent, elle se tenait quelque part à côté de lui.

Il respirait son parfum si féminin, sentait la chaleur de son corps. Il n'avait qu'à tendre la main pour...

Le cours de ses pensées s'interrompit brutalement. Que lui arrivait-il ? Ce serait l'erreur la plus monumentale que de toucher, fût-ce du bout des doigts, Julia Kendricks !

— Monsieur Williams ? répéta Julia.

La main de la jeune femme se posa sur lui. Ses muscles se contractèrent. Et l'inattendu se produisit... En une fraction de seconde, il sentit monter du creux de ses reins un désir si fort qu'il lui donna le sentiment de s'asphyxier. Bon sang ! Etait-elle seulement consciente de l'effet qu'elle venait de lui faire ? D'un geste brusque, farouche, désespéré, il retira son bras.

L'expérience lui avait appris que les femmes jouent savamment de leurs atouts avec les hommes. Julia n'était sûrement pas une exception. Surtout si elle était aussi jolie qu'Emerson le prétendait. Jim n'avait jamais rencontré une femme qui ne fût pas pleinement consciente de ses pouvoirs de séduction.

Pourtant, quelque chose lui disait que Julia était différente des autres femmes. Il y avait cette absence d'artifices, la simplicité, auxquelles Emerson avait fait allusion. Mais aussi son attitude réservée... Julia Kendricks n'était pas provocante.

Mais alors pourquoi...

Une possibilité l'effleura. Une possibilité atroce, écœurante...

Peut-être ne lui avait-elle pris le bras que dans un mouvement de pitié ?

Les doigts de Jim se crispèrent sur la canne. Si c'était cela, il fallait qu'il se débarrasse d'elle. Qu'il s'en débarrasse sur-le-champ ! Et qu'il l'oublie.

Seigneur ! Si seulement il avait pu la voir ! Un regard... c'était tout ce qu'il lui aurait fallu pour connaître la vérité sur Julia Kendricks. Un regard et il aurait su...

— Hum...

Quelqu'un s'éclaircissait discrètement la gorge. Inutile de demander qui était là, Jim le savait.

— Oui, Emerson ?

— Un appel de votre secrétaire, Mlle Hansen. Vous avez la communication dans votre bureau.

— Merci.

— Voulez-vous que je vous y emmène ?

La question était posée d'un ton naturel. Emerson était une des rares personnes à avoir compris qu'un aveugle n'est pas nécessairement dur d'oreille, et il ne haussait jamais la voix lorsqu'il s'adressait à Jim. Cependant, si déférente qu'elle fût, sa question bouleversa Jim. Que diable, il était tout de même chez lui ! Il n'avait pas besoin d'être guidé dans sa propre maison.

— Ce ne sera pas nécessaire, Emerson, répondit-il sèchement.

Puis il balança sa canne devant lui, comme Julia le lui avait enseigné.

— Je me débrouillerai seul.

« Tu n'aurais pas dû le toucher ! » se reprocha Julia, lorsque Jim et Emerson furent sortis.

Elle avait compris son erreur au moment même où ses doigts s'étaient posés sur Jim. La réaction de celui-ci avait été quasiment instantanée. Il s'était raidi, son visage s'était figé. De toute évidence, il avait interprété ce geste comme un mouvement de pitié... ou pire, comme une provocation délibérée. Et manifestement, il entendait rejeter l'un et l'autre.

Jim Williams se trompait, naturellement. Julia éprouvait une foule de sentiments à son égard, mais sûrement pas de la pitié.

Quant à tenter de le séduire... non. Oh, non. Jamais.

Julia se laissa lourdement tomber sur la chaise qui encombrait le hall et enfouit sa tête entre ses mains.

Jim... Il était sorti la tête haute. Il y avait l'ombre d'un défi dans son attitude, dans la rigidité de ses épaules, de ses mouvements. Le message était clair : il tenait plus que jamais à son indépendance.

Je me débrouillerai seul, avait-il affirmé en tournant vers elle son regard sombre et fixe d'aveugle.

Julia poussa un profond soupir et pressa les paumes de ses mains contre ses joues.

Dennis Mitchell l'avait prévenue que sa tâche serait ardue. Elle lui avait expliqué pourquoi elle tenait à aider personnellement Jim Williams. Mais le médecin, d'une voix douce et mesurée, l'avait cependant préparée à l'éventualité d'un échec.

— J'espère que vous parviendrez à l'atteindre, Julia, avait-il déclaré en l'examinant derrière ses lunettes cerclées d'or. Jim est mon meilleur ami. Et je pense qu'il est aussi son propre ennemi. Il vit dans l'obscurité... une obscurité qui n'est pas due seulement à son accident.

— Je connais bien l'obscurité, avait-elle répliqué en désignant les coupures de journaux qu'elle lui avait apportées. C'est grâce à cet homme, que je suis sortie de ma propre nuit. Et je ferai mon possible pour l'aider. Je sais que je ne peux pas lui rendre la vue, mais je trouverai le moyen de redonner un peu de lumière à son existence.

Julia se redressa et contempla le hall vide.

— Je *trouverai* un moyen, répéta-t-elle à voix basse.

Elle n'avait rien exagéré lors de son entrevue avec Dennis Mitchell.

Jim Williams lui avait réellement sauvé la vie.

A une certaine époque de son existence, elle n'aurait pas considéré cela comme une lourde dette. A vrai dire, elle pensait que sa vie n'avait pas grande valeur. Puis elle avait compris qu'elle se trompait, elle avait appris que la vie valait la peine d'être vécue. Et cela, elle le devait à Jim Archer Williams.

La scène avait eu lieu dix ans plus tôt, à New York City...

Il faisait froid. Un froid glacial qui vous transperçait jusqu'aux os. Juline Fischer, seize ans, avait écouté le bulletin météo. On prévoyait que la température tomberait largement au-dessous de zéro cette nuit-là.

Juline frissonna et battit des pieds pour se réchauffer. Elle ne sentait plus le bout de ses orteils. Ses semelles étaient trop fines et trop usées pour la protéger encore du froid, et ses bottes étaient si étroites qu'elle n'avait pu enfiler de chaussettes.

Les doigts gourds, elle resserra la ceinture de son imperméable. Maigre protection contre le frimas de cette nuit d'hiver!

Juline considéra la rue déserte. Bobby l'avait laissée là deux heures auparavant, déjà; mais, depuis, personne n'était venu l'aborder. Aucune voiture n'avait fait mine de ralentir à sa hauteur. Rien.

Juline frissonna de nouveau et hésita sur la conduite à tenir. Remonter vers l'est, là où la rue s'animait un peu? L'ennui, c'est que le quartier était réservé aux professionnelles. Leurs protecteurs étaient des hommes terribles, capables de tuer de sang-froid. Du moins, était-ce ce que Juline avait entendu dire. Et de toute façon, tueurs ou pas, ils ne verraient pas la concurrence d'un bon œil.

Bobby lui avait clairement exposé la situation avant de la décider à travailler pour lui.

Elle n'était pas une professionnelle et il n'avait rien d'un souteneur — voilà ce qu'il avait dit. Seulement, il leur fallait un peu d'argent pour s'en sortir et il espérait qu'elle l'aimait suffisamment pour faire ça. Pour lui... pour eux, pour leur couple. D'ailleurs, ne s'était-il pas déjà montré très généreux envers elle? Ne l'avait-il pas recueillie alors que personne ne voulait d'elle? Non, non, il n'avait pas l'intention de la mettre sur le trottoir. Tout ce qu'il voulait, c'était qu'elle gagne un peu d'argent pour les tirer d'affaire. Rien de plus.

Eh bien, pour une première nuit, ce n'était pas une

réussite ! songea Juline en soupirant, le cœur lourd. A chacune de ses respirations, un nuage blanc opaque se formait devant ses lèvres. Autrefois, quand elle n'était qu'une toute petite fille, elle prenait cela pour de la magie. Aujourd'hui, elle ne croyait plus en la magie du monde. Elle n'avait qu'un seul mot d'ordre : survivre.

Juline croisa les bras dans un vain effort pour se réchauffer les mains. De l'autre côté de la rue, les lumières d'un café l'attiraient comme un papillon de nuit. Il lui restait quelques pièces de monnaie au fond de la poche. Pas grand-chose, à vrai dire. Mais ce serait sans doute suffisant pour une tasse de café chaud.

Bobby s'apercevrait-il qu'elle avait dépensé ses derniers sous ? Il était devenu bizarre ces derniers temps, changeant d'humeur à tout propos. Allons, quelle importance ? Juline était sûre d'une chose : il l'aimait. Quelquefois, il redevenait soudain doux et tendre, comme au début. Il fallait bien le prendre comme il était...

Elle traversa la rue.

Une odeur fétide régnait dans le petit bar. Mais il y faisait chaud. Merveilleusement chaud. Juline s'assit sur un tabouret, devant le comptoir, aussi loin que possible de la porte.

Au bout de quelques secondes, une serveuse approcha. Son regard était éteint. Elle avait le teint terne et des dents noircies.

— Qu'est-ce que vous voulez ? s'enquit-elle avec un mélange d'indifférence et de lassitude.

Juline examina le menu avec attention.

Brusquement, des souvenirs d'école lui revinrent en mémoire. Elle avait toujours été bonne en lecture et en écriture. Les professeurs disaient qu'elle était en avance pour son âge, ils voulaient la pousser dans ses études. Hélas, leurs recommandations n'avaient été suivies d'aucun effet. Mais Juline était très fière d'avoir été considérée comme une enfant intéressante, à un moment de sa vie.

— Euh... je prendrai une assiette de chili, décida-t-elle.

Soudain, elle s'aperçut qu'elle avait des crampes d'estomac. La faim... encore. La serveuse griffonna quelques mots sur son bloc de papier.

— 'Vous faut autre chose?

— Du café. S'il vous plaît.

La femme fronça les sourcils, peu habituée à ce genre de politesses. Puis elle haussa les épaules.

— D'accord, marmonna-t-elle en s'éloignant.

Le chili était brûlant et bien meilleur que tout ce que Juline avait mangé depuis son arrivée à New York. En revanche, le pain était rassis, mais elle ne fit aucune remarque.

— Terminé? s'enquit la serveuse d'un ton morne.

Juline répondit d'un signe de tête. Visiblement, l'établissement n'appréciait guère les clients qui s'éternisaient devant une tasse vide.

— Oui, oui. Je peux avoir l'addition?

— Voilà.

La serveuse poussa devant elle un morceau de papier graisseux. Juline paya et laissa la monnaie en pourboire.

Quand elle sortit, la nuit lui parut plus froide que jamais. A peine eut-elle mis un pied dehors qu'elle commença à trembler de tous ses membres. Des larmes perlèrent à ses yeux et l'air glacé lui brûla les poumons.

Tête baissée, elle retraversa la rue.

Elle venait de mettre le pied sur le trottoir, lorsqu'elle vit une silhouette surgir devant elle. Une vague de panique l'envahit.

L'inconnu la dépassait de plus d'une tête.

Son cœur se mit à battre à se rompre, elle ouvrit la bouche pour hurler et s'apprêta à s'enfuir à toutes jambes.

Et soudain, elle reconnut l'homme qui se tenait devant elle et ses mains se crispèrent sur le col de son imperméable.

— Bobby ! Ce que tu m'as fait peur !

— Saleté ! s'exclama Bobby en l'agrippant brutalement pour la jeter à terre. Que faisais-tu ?

— Je... travaillais..., balbutia Juline en tremblant de tous ses membres.

C'était la première fois qu'elle voyait Bobby se mettre en colère comme ça. A vrai dire... non. Cela lui était déjà arrivé deux semaines auparavant, après qu'il eut passé une soirée à boire avec un copain. Il n'avait pas voulu lui faire de mal... c'était la boisson qui l'avait rendu violent. Et puis, si elle ne lui avait pas répondu sur ce ton, il n'aurait jamais porté la main sur elle. C'est ce qu'il lui avait affirmé le lendemain matin, quand il avait recouvré ses esprits. Il lui avait demandé pardon, humblement. Et elle l'avait cru sincère. Il l'avait même cajolée en pleurant et en la suppliant de ne pas lui tenir rigueur de sa conduite.

— Je t'ai vue entrer dans ce café, Juline !

La jeune fille se mordit les lèvres, tandis qu'il lui enfonçait cruellement les doigts dans les épaules.

— Il fallait que j'aille aux... toilettes...

Bobby la secoua violemment et elle donna de la tête dans le mur. Le visage de son compagnon était tordu de rage, ses yeux injectés de sang. Une fois encore, il avait trop bu.

— Menteuse. Tu étais au comptoir ! Sur un tabouret !

— Oui, j'ai... j'ai bu une tasse de café, confessa-t-elle à mi-voix.

Bobby la gifla à toute volée.

— Bobby ! s'exclama-t-elle, suffoquant sous le coup.

Il la frappa de nouveau. Et soudain, Juline eut peur. Bobby l'avait déjà battue, mais jamais au visage.

Un autre coup tomba, plus fort.

— Je te... demande pardon ! lança-t-elle, dans le vain espoir de le calmer.

Bobby eut un rire mauvais.

— Pardon ? Je t'ai envoyée ici pour gagner de l'argent, Juline ! Pas pour en dépenser.

Elle parvint de justesse à esquiver une nouvelle gifle.

— J'avais faim, Bobby ! Et... froid...

— Tu aurais mieux fait de trouver un client pour te réchauffer !

Cette fois, le coup l'atteignit sur l'arête du nez. Elle chancela et sentit un goût de sang lui envahir la bouche. Bobby lui agrippa les cheveux et lui tira sauvagement la tête en arrière.

Puis il la frappa encore. La vue de Juline se brouilla. Elle entendit son compagnon jurer. Puis il éclata d'un grand rire, un rire de dément.

C'est à ce moment-là seulement que Juline commença à se défendre. Car elle comprit que Bobby était fou... assez fou pour la tuer.

Alors elle se mit à griffer, à mordre, à donner des coups de pieds. Puis elle hurla. Ou du moins, elle crut qu'elle hurlait. Ses hurlements résonnaient dans sa tête, l'étourdissaient.

Elle poussa des hurlements de colère et de douleur.

Des hurlements de terreur.

Hélas, Bobby la fit tomber à terre. Il déchira ses vêtements puis, un genou planté sur sa poitrine, il lui entoura la gorge de ses doigts.

Il commença à serrer.

Elle ne pouvait plus...

Plus fort... encore plus fort...

Impossible... de... respirer...

C'est au moment où elle basculait dans l'inconscience qu'elle entendit un homme crier. Elle ne comprit pas ce qu'il disait, mais Bobby s'immobilisa, comme un animal sauvage soudain hypnotisé par la lumière.

Juline s'évanouit.

Combien de temps resta-t-elle inconsciente ? elle ne le sut jamais. Mais quand elle ouvrit les yeux de nouveau,

Bobby avait disparu et un inconnu était agenouillé près d'elle sur le trottoir. Il lui recouvrit les épaules avec quelque chose de doux et de chaud.

Juline voulut lui dire merci ; elle ne put articuler un mot. Seul un grognement inaudible franchit ses lèvres tuméfiées.

— Tout va bien à présent, lui dit l'inconnu en pressant ses mains glacées. Vous n'avez plus rien à craindre. Les secours vont arriver, on va vous aider.

Juline essaya une nouvelle fois de parler. Mais un liquide chaud et visqueux avait envahi sa bouche.

— Tout va bien, répéta l'homme d'une voix ferme et rassurante.

... Cet homme avait sans doute l'habitude de décider, d'ordonner et d'être obéi.

— On va vous soigner, maintenant.

Elle leva péniblement la tête, scrutant le visage penché sur elle. Elle ne distingua que quelques détails... des détails qui s'imprimèrent dans sa mémoire.

Des cheveux sombres et épais.

Des yeux bruns, de longs cils noirs.

Des traits virils, réguliers.

Impossible de lui donner un âge. Trente ans ? Peut-être moins.

Une vive douleur lui transperça la poitrine et Juline fut parcourue d'un frémissement. Elle serra dans sa main les doigts solides de l'inconnu.

— Détendez-vous, murmura-t-il doucement. Ils vont arriver.

Ils ? Qui ça, ils ? aurait-elle voulu demander. Et lui, qui était-il ?

Ses pensées se brouillèrent. Un bourdonnement sourd résonnait à ses oreilles. Des taches noires tourbillonnaient devant ses yeux et elle sentit la tête lui tourner. Il lui sembla alors qu'une spirale infernale l'attirait dans un puits sans fond, tandis qu'un goût âpre prenait de nouveau possession de sa bouche.

Juline perdit une seconde fois connaissance. Son évanouissement dura quelques secondes, puis elle eut vaguement conscience d'un remue-ménage autour d'elle. Des sirènes hurlaient, une vive lumière traversait ses paupières closes. Quelqu'un tentait de dégager sa main... la main qu'elle tenait. Oh non... Qu'il ne parte pas ! Une terreur folle la saisit et ses doigts se crispèrent convulsivement sur ceux de l'homme.

— Non ! murmura-t-elle, désespérée. Je vous en prie... ne m'abandonnez pas...

— Hum...

Julia sursauta, brutalement ramenée au moment présent.

— E... Emerson, balbutia-t-elle en se redressant.

Avec un soupçon d'étonnement, elle constata que ses jambes la portaient encore et que ses mains ne tremblaient pas. Il y avait bien longtemps qu'elle n'avait pas revécu en pensée ces instants atroces, et ces souvenirs la bouleversaient toujours.

Il y eut un bref silence. Emerson l'observait attentivement et Julia aurait donné cher pour connaître le fond de sa pensée.

Une chose était certaine : Talley O'Hara Emerson était totalement dévoué à Jim Williams. Il y avait même dans son attitude à son égard quelque chose de paternel, de protecteur. Pourtant, depuis son arrivée, elle avait le sentiment que le valet était de son côté et qu'il tenait à l'aider. Comme s'il comprenait *pourquoi* elle était là.

Mais non, c'était impossible. Emerson ignorait son identité et ne pouvait donc soupçonner ses motifs. Nul à Boston ne savait que Julia Kendricks, diplômée de l'université et éducatrice spécialisée, s'était autrefois appelée Juline Anna Fischer et avait été une adolescente en fugue.

Personne ne savait cela, à l'exception de Dennis Mitchell. Et il lui avait promis de ne pas révéler son secret. Julia avait confiance en lui. Dennis Mitchell était un homme de parole.

— Jim aimerait que vous alliez le rejoindre dans son bureau, déclara Emerson.

— Il... *aimerait* que je le rejoigne ? répéta-t-elle, incrédule.

Difficile d'imaginer que Jim recherchait sa compagnie ! Comme s'il avait deviné ses pensées, Emerson esquissa un sourire narquois.

— Je me suis peut-être mal exprimé, admit-il sèchement. Disons qu'il n'a pas trop protesté quand j'ai déclaré que j'allais vous chercher.

— Pas trop ?

— C'est-à-dire qu'il ne m'a pas opposé un refus catégorique.

Julia réfléchit une seconde ou deux. Puis, prenant une profonde inspiration, elle redressa les épaules.

— Emmenez-moi jusqu'à lui, Emerson.

— Avec plaisir, mademoiselle Kendricks, répondit doucement le vieil homme. Quoique... je ne doute pas que vous puissiez trouver le chemin toute seule.

3.

— Encore huit, monsieur Williams. Tenez bon.

Avec une grimace, Jim tira sur le contrepoids de la machine et amena la barre à hauteur de sa poitrine. Au bout de quelques secondes, il la laissa retomber en poussant une profonde expiration.

— C'est bien, continuez.

La mâchoire serrée, Jim répéta l'exercice. *C'est bien*... Facile à dire ! songea-t-il avec un brin d'irritation.

Sa machine de musculation était installée dans une petite pièce adjacente à la salle de bains. A l'époque où Julia était arrivée chez lui, la machine était reléguée au grenier. C'est lui-même qui avait ordonné à Emerson de la faire disparaître. Juste après son retour de l'hôpital, il avait trébuché contre l'appareil et s'était cassé une côte. Cet accident stupide l'avait mis hors de lui.

Jim ignorait comment Julia avait appris l'existence de cette machine infernale. Quoique... Réflexion faite, il soupçonnait Emerson de l'en avoir informée. Le fait est que quatre jours après son arrivée, elle avait demandé au maître d'hôtel de réinstaller l'appareil. Tout cela avec la bénédiction de Dennis Mitchell, qui affirmait qu'un peu d'exercice serait extrêmement bénéfique à son patient ! Julia avait donc ajouté ces exercices de musculation à leur emploi du temps.

Leur emploi du temps ! songea Jim avec un rictus

amer. En fait, Julia décidait de tout. C'était elle qui lui disait minute après minute ce qu'il devait faire !

Il expira en reposant la barre devant lui, puis recommença l'exercice. Jim connaissait ces mouvements par cœur, il les avait effectués des centaines de fois, avant. Avant l'accident. Mais ce matin, ces gestes qui autrefois étaient naturels lui paraissaient étranges.

Tant de choses dans sa vie étaient devenues différentes...

— Encore six.

— Six ?

Ce n'était pas la première fois que Julia lui faisait faire du travail supplémentaire ! En fait, son objectif évident était de l'obliger à se concentrer sur ce qu'il faisait.

— Je pense qu'il n'y en a plus que trois, grommela-t-il en soufflant.

— Non, quatre ! rétorqua-t-elle aussitôt.

Il y avait une note joyeuse dans sa voix, un rire contenu. Jim souleva la barre puis la déposa lentement.

— Plus que deux ! déclara-t-il d'un ton ferme.

— Oh, très bien, comme vous voudrez.

— Encore... un...

Jim termina l'exercice et laissa tomber la barre à ses pieds. A sa grande satisfaction, il réussit à la déposer exactement à sa place.

— Et voilà, c'est terminé.

Il se redressa, ôta vivement son T-shirt et s'essuya machinalement la poitrine à l'aide du vêtement en coton. Etirant ses muscles endoloris par l'effort, il poussa un soupir de satisfaction. Il fallait reconnaître qu'il se sentait en bien meilleure condition qu'à sa sortie de l'hôpital !

Soudain, il sentit un objet doux et léger... une serviette de toilette, de toute évidence, effleurer ses genoux.

— Servez-vous de ça, c'est mieux qu'un T-shirt.

Il n'y avait plus trace de rire dans la voix de la jeune femme. En fait, elle paraissait contrariée.

Contrariée ? Non, c'était pire que cela, songea Jim. Julia était bouleversée. Mais pourquoi ?

Les sourcils froncés, il leva la tête.

— Julia ?

— Oui ?

— Quelque chose ne va pas ?

Trois secondes de silence, puis la réponse, évasive :

— Non, monsieur Williams. Tout va très bien.

Jim se frictionna les bras à l'aide de la serviette-éponge. Que signifiait la réaction de Julia ? C'était devenu une habitude chez lui, d'analyser chaque inflexion de cette voix qui le guidait. Jim était même assez fier de lui : il parvenait à interpréter toutes les nuances, à déceler le sens sous-jacent des paroles. Mais en ce moment précis... il était perplexe.

Le délicat parfum de la jeune femme l'enveloppa. Aussitôt, Jim fut envahi d'une bouffée de désir, les battements de son pouls s'accélérèrent.

Non... non, protesta-t-il intérieurement, pas de ça...

Depuis son accident, Jim n'avait pas eu de femme dans sa vie. Et il n'avait pas éprouvé la moindre envie de serrer une compagne dans ses bras. En fait, sa libido était au plus bas... rien de plus normal après un tel choc, avaient déclaré les médecins d'un ton rassurant.

Puis, Julia Kendricks s'était introduite chez lui et tout avait changé. Le désir avait resurgi. Un désir soudain, fou, exaspérant...

Jamais une femme n'avait éveillé en lui de tels sentiments. Dès qu'il percevait sa présence, une foule d'images érotiques lui envahissaient l'esprit. Des sensations étourdissantes s'emparaient de lui.

Au début, il avait tenté d'ignorer ses sentiments, de les traiter par le mépris. Pourtant, il avait bien fallu admettre qu'il éprouvait une attirance irrésistible pour Julia Kendricks. Celle-ci, avec ses longs cheveux blonds, ses yeux bleu-vert, était l'objet de toutes ses pensées. Une véritable obsession ! Et puisqu'il ne pouvait la voir, il voulait absolument la découvrir autrement.

Toucher le grain de sa peau...

Connaître le goût de ses lèvres...

Entendre sa voix, son rire...

Respirer son parfum...

La connaître. Parfaitement. Totalement.

— Monsieur Williams ?

Jim tressaillit. Julia avait changé de place, elle s'était rapprochée de l'appareil de musculation.

Une fois encore, son parfum fleuri l'enivra.

— Que portez-vous ? questionna-t-il à brûle-pourpoint.

— Je vous demande pardon ?

— Votre parfum. Comment s'appelle-t-il ?

Jim se reprocha cette question trop directe, mais trop tard. Il voulait absolument savoir, il fallait qu'il sache.

— Mon... parfum ? répéta Julia, interloquée. C'est... euh...

Elle cita un nom que Jim avait déjà entendu. Un produit d'un prix raisonnable, que l'on achetait dans les grands magasins.

— Y a-t-il longtemps que vous le portez ?

— Pourquoi ?

Il y avait un rien de méfiance dans la voix de la jeune femme.

— Comme ça..., répondit Jim en reposant la serviette sur ses genoux. Il vous va bien.

— Oh... merci. On me l'a offert l'année dernière.

Elle prononça ces mots à voix basse, et Jim crut déceler une nuance de tendresse dans ses paroles. Un cadeau... naturellement, se dit-il. Un sentiment très désagréable s'insinua alors dans son cœur.

— Un cadeau d'un amoureux, marmonna-t-il.

— Quoi ? Oh, non. Non, pas du tout.

Il y eut un silence pesant. Ni l'un ni l'autre ne se décidait à reprendre la parole.

Soudain, Jim se sentit un peu perdu. Comme si on l'obligeait à jouer à un jeu dont il n'eût pas connu les règles. Un jeu de colin-maillard où il serait le seul à avoir les yeux bandés.

— Je ne voulais pas vous embarrasser..., balbutia-t-il enfin, confus.

Mais après tout, pourquoi pas ? Julia Kendricks avait vingt-six ans. Et de plus, à en croire Emerson, elle était jolie ! Pourquoi était-elle aussi choquée ? Quoi de plus naturel pour une jeune et jolie femme, que d'avoir un petit ami qui lui offrait des cadeaux ? Il n'avait pas eu l'intention de l'insulter en lui demandant si...

Jim interrompit brutalement le cours de ses réflexions.

Allons, un peu de sincérité envers soi-même...

Jim s'était toujours prononcé pour l'égalité des sexes. Il avait toujours pensé qu'une femme devait être aussi libre qu'un homme. Pourtant...

... En ce qui concernait Julia Kendricks, ses sentiments étaient un peu différents, admit-il à contrecœur. Parce que Julia Kendricks elle-même était différente. Et l'idée qu'elle puisse avoir un homme dans sa vie le perturbait. Etait-ce vraiment de la jalousie ?

Il n'avait jamais éprouvé pour une autre femme l'attirance qu'il éprouvait pour elle. A vrai dire il n'avait jamais été... amoureux. Il n'avait jamais eu besoin de qui que ce soit. Et il n'avait jamais souhaité que quelqu'un ait besoin de *lui*...

Jim serra les poings. Soudain, il se sentit ramené vers le passé. Dix ans en arrière...

Des yeux...

De superbes yeux bleu-vert...

Il ne savait toujours pas pourquoi il s'était comporté ainsi, par cette nuit glaciale, à New York. Après toutes ces années, il était incapable d'expliquer ce qui l'avait poussé à jouer les bons samaritains. Cela lui ressemblait si peu !

A l'heure actuelle, il lui semblait encore sentir la pression des doigts de l'adolescente sur sa main. Il croyait entendre sa voix suppliante.

Non... ne m'abandonnez pas...

Il avait bien fallu qu'il s'en aille. Il avait fait pour elle tout ce qui était en son pouvoir. Puis, quand il s'était aperçu que son rôle était terminé, il était parti. La fille s'était cramponnée à son bras, comme s'il était sa bouée de sauvetage. Mais il n'avait plus rien à lui donner.

Depuis, il essayait de se persuader qu'il avait agi pour le mieux. Tout ce qu'il espérait c'était que la jeune femme n'ait pas considéré son départ comme une trahison, mais...

— Monsieur Williams? Vous m'écoutez, monsieur Williams?

La voix de Julia le ramena au présent.

— J'étais en train de vous expliquer que ce sont mes élèves, qui m'ont offert ce parfum pour mon anniversaire, Jim, l'entendit-il déclarer. C'est un groupe de quatre filles et cinq garçons, dont je me suis occupée pendant plusieurs mois. Ils ont entre neuf et dix ans. Je n'ai pas de petit ami, monsieur Williams, si c'est ce que vous vouliez savoir. Et je n'en veux pas.

— Julia...

— Vous devriez aller vous changer, maintenant, conclut-elle avec une certaine froideur. Faites-moi appeler lorsque vous serez prêt pour votre leçon de Braille.

Jim tendit la main vers elle, en répétant son nom.

En vain. Elle était déjà partie.

Julia se réfugia dans sa chambre. Pour une fois, l'atmosphère douce et feutrée de la pièce ne s'accordait pas à son humeur.

— Que m'arrive-t-il? murmura-t-elle en fermant la porte derrière elle.

Qu'elle éprouve un sentiment spécial pour Jim, c'était à prévoir. Cet homme lui avait sauvé la vie, elle lui en était reconnaissante. N'importe qui aurait réagi de même...

Mais... était-ce bien de la reconnaissance qu'elle avait éprouvée quelques minutes auparavant, en admirant son torse musclé ?

Etait-ce la reconnaissance qui la faisait frissonner chaque fois qu'elle posait les yeux sur Jim ?

Non. Inutile de se mentir. Autant admettre que les émotions que Jim provoquait en elle n'avaient rien à voir avec la gratitude.

Une vague de chaleur avait envahi son corps, éveillant un désir depuis longtemps étouffé. Un désir qu'elle ne pouvait pas ignorer. Son corps ne demandait qu'à vivre et à s'épanouir.

Non, songea-t-elle, portant une main tremblante à ses lèvres. Pas maintenant. Pas avec lui !

Pendant une longue période, après cette terrible nuit, Julia n'avait pas supporté d'être touchée... par qui que ce soit. Le simple contact d'une main amicale sur son bras l'emplissait de panique. Quant à l'idée d'embrasser quelqu'un, elle était insoutenable, écœurante...

Une longue thérapie l'avait aidée à surmonter cette répulsion. Mais ce qui l'avait le plus aidée, c'était d'avoir été adoptée par une nouvelle famille. Ses parents adoptifs et leurs enfants lui avaient témoigné tant de tendresse et d'affection qu'elle avait fini par reprendre confiance en elle. Si eux pouvaient l'aimer, cela signifiait qu'elle n'était pas aussi repoussante, aussi souillée qu'elle le croyait. Enfin, elle avait compris que les contacts physiques n'étaient pas obligatoirement liés à l'acte sexuel.

Au cours des dix dernières années, Julia avait parcouru un long chemin. L'adolescente fragile et égarée, qui n'osait même pas échanger une poignée de main avec qui que ce soit, était devenue une jeune femme confiante, qui n'hésitait pas à témoigner son affection aux êtres chers qui l'entouraient. Toutefois, elle demeurait très réservée vis-à-vis des étrangers. Seuls les enfants parvenaient à briser ses résistances.

Les enfants... et depuis peu, Jim Williams, songea-t-elle, stupéfaite elle-même par cette découverte.

Mais quels que soient ses sentiments, il fallait qu'elle les domine. C'était la seule façon de mener sa tâche à bien. Car elle voulait absolument réussir, atteindre l'objectif qu'elle s'était fixé et qui était d'aider Jim à surmonter cette épreuve. Elle n'avait pas le droit d'échouer.

Elle avait attendu trop longtemps.

Et elle lui devait trop.

Julia fit quelques pas dans la chambre. Jim avait besoin de son aide, elle devait la lui accorder. Lorsqu'elle aurait fait tout ce qui était en son pouvoir, elle partirait. Mais pas avant. Quelles que soient les difficultés, elle ne...

On venait de frapper.

Julia se raidit et prit une profonde inspiration avant de se tourner vers la porte.

— Mademoiselle Kendricks? demanda une voix posée.

Elle se détendit et poussa un soupir de soulagement.

— Oui, Emerson?

— Jim m'envoie vous dire qu'il vous attend pour sa leçon de Braille.

Julia hésita une seconde, puis tourna la clé dans la serrure. Un sourire figé sur les lèvres, elle ouvrit la porte.

— Quelle coïncidence! dit-elle avec un entrain de commande. Justement, j'allais descendre.

— Je lui trouve l'air fatigué, fit remarquer Dennis Mitchell, un peu plus tard dans la soirée.

Jim cligna des yeux, l'esprit encore fixé sur la jeune femme qui venait de quitter le salon.

— Quoi ?

— Je dis que Julia paraît fatiguée.

Ils étaient tous deux assis dans des fauteuils de cuir, de part et d'autre de la cheminée. Dennis était arrivé chez Jim à l'improviste, une demi-heure plus tôt. C'était le lendemain de Noël et il prétendait que sa visite n'avait rien de prémédité. Il passait dans le quartier et avait décidé de dire bonjour à son ami et patient.

Jim ne l'avait pas questionné davantage. Mais il savait que le cabinet de Dennis se trouvait de l'autre côté de la ville et que Commonwealth Avenue n'était pas sur son chemin. Il avait donc des doutes sur la sincérité de son ami.

Tout d'abord, il crut que celui-ci était passé le voir par souci professionnel. Mais après dix minutes de conversation, il comprit qu'il n'en était rien. Si Dennis avait eu quelque chose à lui annoncer sur son état de santé, qu'il s'agisse de bonnes ou de mauvaises nouvelles, il l'aurait fait immédiatement.

C'est alors qu'une autre idée l'avait effleuré. Dennis était là à cause de Julia. Mais oui...! Plus il retournait cette idée dans sa tête, plus elle lui paraissait plausible. Le médecin avait demandé des nouvelles de la jeune femme, d'un air détaché. En apprenant qu'elle était sortie se promener, il avait paru vaguement désolé. En revanche, c'était avec un plaisir évident qu'il l'avait accueillie à son retour, quelques minutes plus tard.

— Docteur Mitchell ! J'ignorais que vous alliez nous rendre visite aujourd'hui.

Pour autant que Jim ait pu en juger, Julia avait paru sincèrement surprise. Cepndant il eût juré qu'il y avait eu une pointe d'anxiété dans sa voix. Pourquoi ?

— Je passais par là et j'ai décidé de m'arrêter, avait répondu Dennis d'un ton naturel.

Il y avait eu une pause. Jim s'était pris à soupçonner des échanges de regards entre Julia et le médecin. Soudain, son amertume avait été plus forte que jamais. Comme il avait haï son infirmité, alors !

Au bout de quelques secondes, Julia s'était éclairci la gorge pour déclarer :

— Je suis enchantée de vous voir. Meilleurs vœux.

— Meilleurs vœux à vous aussi, Julia.

Jim aurait parié qu'ils se souriaient bêtement, tous les deux.

Agrippant les accoudoirs du fauteuil, il enfonça ses ongles dans le cuir souple et moelleux. Il y avait quelque chose entre Julia et Dennis. Quelque chose qu'il ignorait. Et tant qu'il ne les verrait pas, il ne saurait pas exactement à quoi s'en tenir.

Elle a l'air fatiguée, avait dit Dennis, sitôt que la jeune femme avait quitté la pièce.

Où diable voulait-il en venir ?

— Jim ?

— Je suis obligé de te croire sur parole, n'est-ce pas, Dennis ? fit-il sans dissimuler son aigreur. Après tout, toi tu peux la voir...

— Je ne...

— Ainsi, tu dis qu'elle semble fatiguée ? C'est étrange. Penses-tu qu'elle travaille trop ? Il est vrai qu'elle n'a même pas pris un jour de repos pour Noël.

A vrai dire, il avait oublié qu'on était le 26 décembre. Pour lui, Noël n'était qu'un jour comme les autres, un jour qu'il était condamné à passer dans l'obscurité. Et ni Julia ni Emerson n'avaient cru bon de lui rappeler que c'était un jour de fête.

— Jim...

Jim se rendit compte qu'il allait prononcer des paroles terribles. Des paroles qu'il regretterait sans doute amèrement. Mais tant pis ! Il avait le cœur trop lourd.

— Tu crains peut-être que j'empêche cette jeune personne de dormir ? Sois tranquille, je ne lui fais pas faire d'heures supplémentaires de ce genre.

— Voyons, je...

— Pourquoi t'intéresses-tu tant à Julia Kendricks, Dennis ? Dis-le-moi. Pourquoi...

— Mais parce que je me sens responsable d'elle, voyons ! C'est évident. C'est moi qui te l'ai recommandée, tu t'en souviens ? C'est grâce à moi qu'elle vit sous ton toit en ce moment.

Dennis paraissait furieux, maintenant. Jamais Jim n'avait entendu de tels accents de colère dans sa voix.

— Et à vrai dire, je m'inquiète pour elle, Jim. Je te connais. Je sais que tu peux être très désagréable quand tu t'y mets ! Un vrai tyran !

Jim ouvrit la bouche pour protester, mais aucun son ne franchit ses lèvres. Sa colère venait de s'évanouir brusquement.

Il y eut un lourd silence. Pendant plus d'une minute, aucun des deux hommes n'articula le moindre mot. Jim se concentra sur les bruits extérieurs qui meublaient le silence.

Le tic tac de la pendule sur la cheminée.

Le grincement de son fauteuil de cuir, lorsqu'il changea de position sur le siège.

Enfin, le soupir exaspéré de Dennis.

— Je suis désolé, Jim.

Jim esquissa un geste vague de la main.

— Ce n'est rien.

— Je n'aurais pas dû...

— Ça va, Dennis. Tu as bien fait de me parler comme ça. Tu m'as remis les pieds sur terre.

Dennis étouffa un petit rire.

— Il faut bien que quelqu'un le fasse.

Jim sourit mais ne dit rien.

— Et Julia ? demanda Dennis d'un ton bizarre.

— Julia ?

— Te remet-elle les pieds sur terre quand tu en as besoin ?

Jim marqua une légère hésitation, puis admit, à mi-voix :

— Plus souvent que tu ne le penses. C'est peut-être pour ça qu'elle est fatiguée ?

— Je ne voulais pas insinuer...

— Ah non ? Tu dis toi-même que je peux être très désagréable. Et étant donné les circonstances, je n'ai pas souvent envie de rire, mon vieux !

Une nouvelle pause, un peu plus longue que la précédente. Finalement, Dennis demanda :

— Est-elle sortie quelques fois, depuis qu'elle habite ici ?

Jim décela aussitôt une nuance de reproche dans cette question apparemment anodine.

— Naturellement. Elle est allée se promener aujourd'hui même, comme tu as pu t'en rendre compte.

— Ce n'est pas ce que je voulais dire et tu le sais.

Jim se passa une main dans les cheveux. Il avait parfaitement compris ce que Dennis voulait dire. Mais que pouvait-il répondre ? Que Julia ne quittait jamais la maison, excepté pour aller se promener à pied dans les environs... ? Et qu'à chacune de ses sorties, elle invitait Jim à se joindre à elle ? Il n'avait jamais accepté. Mais la jeune femme était bel et bien disponible, à son service, vingt-quatre heures sur vingt-quatre !

Ce n'était pourtant pas lui qui exigeait un tel dévouement ! Si elle agissait ainsi, c'était son choix personnel.

— Je suis l'employeur de Julia Kendricks, Dennis. Rien de plus. Elle est entièrement libre et elle peut quitter mon service à tout moment, si tel est son plaisir.

— Oui, mais elle n'en fera rien.

Jim fronça les sourcils. Dennis lui cachait-il quelque chose ?

— Que veux-tu dire ?

Pas de réponse.

— Dennis ?

— Ce travail est très important pour Julia, Jim.

Le cuir du fauteuil craqua sous son poids. Manifestement, le médecin était mal à l'aise.

— Elle ne partira pas tant qu'elle n'aura pas fini.

— De toute façon, elle partira quand j'aurai recouvré la vue, non?

Jim attendit quelques secondes la réplique de son ami. Comme celle-ci se faisait attendre, il ajouta :

— Car je vais recouvrer la vue.

Il prononça ces mots d'un ton ferme et confiant. Mais au moment même où ils franchirent ses lèvres, Jim comprit qu'en réalité, il voulait se rassurer. Il voulait que son ami confirme ce diagnostic optimiste.

— Jim, nous avons déjà longuement parlé de ça.

Jim frappa l'accoudoir de cuir de la paume de sa main.

— Et nous continuerons à en parler, tant que tu ne me répondras pas franchement!

— J'aimerais pouvoir te donner une réponse définitive, mon vieux. Mais c'est impossible. La vérité, c'est que personne ne sait pourquoi tu as perdu la vue. Personne, tu entends? Et personne ne peut dire quand tu récupéreras tes facultés... ni même si... tu les récupéreras un jour.

Jim fit un effort surhumain pour contenir sa colère. Après tout, c'est lui qui venait de pousser Dennis dans ses retranchements. Il avait la réponse qu'il demandait... et maintenant, c'était à lui de surmonter l'épreuve.

Il revécut en pensée sa première entrevue avec Julia.

Pensez-vous pouvoir me faire accepter ma cécité, mademoiselle Kendricks?

Non. L'acceptation de votre état actuel viendra de vous et de vous seul, avait-elle répondu.

— En d'autres termes, reprit-il à haute voix, Julia a peut-être trouvé un emploi à vie chez moi.

Dennis soupira avec lassitude.

— J'espère sincèrement que non.

« Pour qui ? Pour elle, ou pour moi ? » faillit demander Jim. Mais finalement, il renonça à se montrer agressif.

— Tu la trouves vraiment fatiguée ? s'enquit-il simplement.

— Oui.

Une pause. Puis Dennis reprit, lentement, avec prudence :

— Que dirais-tu si je l'invitais à dîner ce soir ?

Jim réprima un sourire narquois. Tiens, tiens... voilà donc le véritable motif de cette visite impromptue ! Dennis avait bien préparé son coup. Il aurait dû s'en douter ! De toute façon, il le savait. Il avait compris la première fois qu'il avait entendu Dennis prononcer le nom de la jeune femme.

Eh bien, qu'il l'invite. Cela lui était complètement égal. De toute façon, quel avenir y avait-il avec une femme qu'il ne pouvait pas *voir* ?

Peu importe. Il ne voulait plus y penser, voilà tout.

— Ce que je dirais ? répéta-t-il, songeur. Eh bien, je dirais que ce n'est pas à moi qu'il faut poser la question.

4.

Le serveur déposa les hors-d'œuvre sur la table et repartit d'un air affairé.

— Alors? s'enquit Dennis. Comment ça marche avec Jim?

Julia picora une olive dans une coupelle.

— Difficile à dire.

Dennis haussa les sourcils.

— C'est si dur que ça?

Tout en grignotant une deuxième olive verte, Julia observa son compagnon. L'amitié qui liait Jim et Dennis ne cessait de l'étonner. Les deux hommes étaient totalement différents. Jim était brun, mince, terriblement sensuel et attirant, tandis que Dennis était blond, un peu enrobé et d'un physique agréable. Tel un héros romantique, Jim s'entourait d'un halo de mystère. En revanche, on ne pouvait imaginer personnage plus franc et plus direct que Dennis. Enfin, alors que Jim la troublait au-delà de tout...

— Vous m'aviez prévenue que mon travail ne serait pas facile, lui rappela-t-elle, en enroulant des spaghettis autour de sa fourchette.

— Oui, euh... j'espère que je n'ai pas aggravé la situation.

— Aggravé? Comment cela?

— Je pense que Jim n'était pas enchanté de vous savoir en ma compagnie ce soir.

Julia posa lentement son couvert devant elle.

— J'avais pourtant l'impression qu'il mourait d'envie de se débarrasser de moi.

— Est-ce pour cette raison que vous avez accepté de dîner avec moi ? demanda Dennis, hésitant.

Julia détourna les yeux, dans le vain espoir de dissimuler son embarras. Son premier mouvement avait été de décliner l'invitation de Dennis. Malheureusement pour elle, Jim se trouvait là et il l'avait aussitôt poussée à accepter. Elle avait pourtant tenté de se dérober. Mais Jim avait impitoyablement rejeté toutes les excuses qu'elle invoquait, affirmant avec fermeté :

— Vous avez le droit de sortir et de vous distraire.

En désespoir de cause, elle avait déclaré qu'elle n'avait rien à se mettre. Mais alors, Dennis était intervenu, la complimentant sur son élégance naturelle. Quant à Jim, il avait balayé d'un geste toutes ses protestations.

— Enfin, monsieur Williams..., avait-elle balbutié.

— Je n'aurai pas besoin de vous ce soir, Julia.

Le ton était sans réplique. De toute évidence, Jim désirait rester seul, il n'avait que faire de sa compagnie.

A court d'arguments, elle avait fini par accepter l'invitation de Dennis, la mort dans l'âme.

Julia leva la tête et regarda son compagnon, assis face à elle.

— Docteur Mitchell...

— Dennis. Appelez-moi Dennis, je vous prie.

Elle hésita une seconde, puis répéta :

— Dennis. Ecoutez... je ne voudrais pas que vous pensiez... je veux dire... si j'ai accepté de sortir avec vous ce soir...

Dennis sourit et hocha la tête.

— Très bien, Julia. Je comprends.

— Réellement ?

Il répondit d'un simple signe de tête.

— Et vous... vous devez comprendre que Jim ne pense

pas toujours ce qu'il dit... et qu'il ne dit pas ce qu'il pense.

Julia réfléchit un instant sur le sens de ces paroles.

— Vous croyez *vraiment* qu'il ne voulait pas que j'aille dîner avec vous ?

— Il a essayé de se convaincre qu'il voulait que vous sortiez, déclara Dennis. Mais au fond...

Ces mots furent suivis d'une pause qui parut interminable à Julia.

— Vous connaissez Jim depuis très longtemps, n'est-ce pas ? finit-elle par demander.

— Depuis... plus de vingt ans. Nous partagions une chambre quand nous étions étudiants. J'étais un gamin frêle et chétif et j'avais obtenu une bourse d'Etat pour faire mes études. Quant à Jim, il était déjà multi-milliardaire et c'était un véritable athlète. Son père l'avait mis en pension dès l'âge de huit ans, mais moi, je n'avais jamais quitté la maison de mes parents.

— Son père ? Mais... et sa mère, qu'en pensait-elle ?

— Je crois qu'elle n'avait pas droit à la parole.

Julia revit le portrait délicat dans le cadre d'argent, qui ornait le bureau de Jim. En revanche, il n'y avait pas une seule photo de Archer Williams dans la demeure.

— Ils étaient très proches, n'est-ce pas ? s'enquit-elle au bout de quelques secondes. Je veux dire... Jim et sa mère ?

Elle avait du mal à prononcer le nom de Jim à haute voix. Elle hésitait toujours, comme si elle ne se reconnaissait pas le droit de l'appeler par son prénom.

— Très proches. Jim adorait sa mère. Et Margaret... — c'était son prénom —, Margaret l'adorait également. Archer, le père de Jim, était beaucoup plus âgé que son épouse. Je pense qu'il était jaloux de l'affection qu'elle portait à son petit garçon. Il considérait celui-ci comme un héritier, mais pas comme un fils. Il n'y avait aucune chaleur dans leurs relations.

— Qu'est-il arrivé à Margaret ?

— Elle est morte alors que Jim finissait ses études. Elle est tombée brusquement malade et a été emportée en moins de quarante-huit heures. Si Emerson n'avait pas téléphoné...

— Emerson ?

— Je n'en suis pas absolument sûr, mais je pense que c'était Emerson. Jim et moi étions en train d'étudier dans notre chambre, quand on l'a appelé pour lui dire que quelqu'un le demandait au téléphone. Il est allé répondre et à son retour, il m'annoncé que sa mère était en train de mourir et qu'il devait se rendre près d'elle.

— Ce devait être son père...

Dennis secoua la tête en signe de dénégation.

— Si Archer Williams avait voulu que son fils rentre chez lui, il aurait appelé le directeur de l'école. Or, Jim a quitté le campus sans autorisation et il a regagné Boston en autostop.

— A-t-il vu sa mère avant...

— Il a toujours observé la plus grande discrétion sur ce qui s'était passé. Mais je sais qu'il était avec elle au dernier moment. Je sais aussi que son père a piqué une colère quand Jim est arrivé à l'hôpital. C'est seulement à ce moment-là qu'il a appelé l'école. Il a passé un savon au directeur parce que Jim s'était enfui. Cette histoire a fait un drôle de scandale, toute l'école était en émoi.

Julia se mordit les lèvres. Pauvre Jim. Son père n'avait vraiment pas été tendre ! Dennis poursuivit :

— Archer Williams était un donateur généreux, il y a même une plaque à son nom sur le mur de l'école. Aussi, le directeur ne pouvait guère riposter. D'autre part, le règlement est roi. Jim aurait pu être renvoyé, mais il s'en est tiré avec un bon sermon et plusieurs heures de colle. Ensuite, le directeur s'est arrangé pour l'inscrire à un voyage d'études, si bien qu'il n'est pas rentré chez lui aux vacances suivantes. Jim obtint son diplôme et quitta l'école. Il était déjà à la tête d'une petite fortune, à cette époque-là. Je ne pense pas qu'il ait remis les pieds chez son père et il n'a pas dû le rencontrer plus de cinq ou six fois en six ans. Archer est mort d'un infarctus, alors que Jim venait d'avoir vingt-quatre ans. Un jour, Jim m'a dit qu'il n'avait assisté à l'enterrement que pour s'assurer que son père était bien mort... En fait, il ne lui a jamais pardonné sa cruauté envers Margaret.

Julia ne répondit pas... D'un sourire, Dennis fit glisser la conversation sur des sujets plus légers. C'était un compagnon agréable et Julia se sentit de plus en plus à l'aise avec lui.

Mais soudain, alors qu'ils finissaient de bavarder devant leur tasse de café, Julia remarqua que son expression avait changé. Il répondait distraitement à ses remarques et paraissait ne pouvoir détacher d'elle son regard.

Julia était accoutumée à ce que les hommes la regardent. En fait, « accoutumée » n'était pas vraiment le terme adapté. Car elle avait le sentiment qu'elle ne s'habituerait jamais à ces regards insistants, parfois empreints d'un désir non dissimulé. Seulement, il fallait bien qu'elle se fasse une raison : son visage et sa silhouette attiraient l'attention. Cela ne lui plaisait guère, elle aurait préféré passer inaperçue ; d'autant que, lorsqu'elle s'observait dans un miroir, elle ne comprenait pas comment les hommes pouvaient la trouver belle ou désirable. Pourtant, certains la dévoraient des yeux.

— Pourquoi me regardez-vous ainsi ? lança-t-elle à Dennis.

Celui-ci parut sortir d'un rêve.

— Excusez-moi..., balbutia-t-il, confus. J'essayais... enfin... j'avais du mal à réconcilier l'image de Julia Kendricks avec... euh...

— Avec celle de Juline Fischer, adolescente en fuite et prostituée ?

Dennis grimaça.

— Vous êtes dure envers vous-même.

— La prostitution est un acte terrible.

— Je le sais, marmonna Dennis. C'est pourquoi j'ai du mal à comprendre... Pour l'amour du ciel, Julia, comment en étiez-vous arrivée...

Il s'interrompit brusquement.

— Je vous demande pardon, Julia. Je n'ai pas le droit de vous questionner.

— Vous avez pris de grands risques en acceptant de me recommander à Jim. Aussi, j'estime que vous avez le droit de connaître la vérité, Dennis.

La voix de Julia était calme, mesurée.

— Cela m'est égal, d'évoquer le passé. C'est ma vie et je ne peux effacer d'un geste les moments désagréables que j'ai vécus. Je ne peux les renier. J'aurais dû tout vous raconter le jour où je suis venue vous voir dans votre bureau. D'ailleurs, je l'aurais fait sans hésiter si vous me l'aviez demandé.

Julia se tut et Dennis demeura silencieux un instant.

— Etes-vous vraiment sûre de vouloir en parler? interrogea-t-il enfin.

Julia hocha la tête et commença son récit.

— Mon père est mort dans un accident lorsque j'avais dix ans. C'était un homme très bon, très travailleur, généreux. Ma mère a très mal supporté le choc de sa disparition. Elle ne pouvait pas vivre seule, elle avait besoin d'un homme à ses côtés. Peu après mon quatorzième anniversaire, elle s'est remariée avec un certain Wesley Summers.

Julia détourna le regard. La simple évocation de ce nom l'emplissait d'une vague de dégoût.

— Julia?

La voix de Dennis était douce, mais insistante. Elle s'obligea à croiser son regard et continua son histoire.

— Au début, tout allait bien. Wesley ne faisait pas

attention à moi et ma mère semblait heureuse. Puis, au bout d'un an, Wesley a perdu son travail. C'est alors qu'il a commencé à boire. Et quand il avait trop bu, il devenait... méchant.

— Il vous frappait ?

Julia fit un signe de tête et ses doigts se crispèrent sur les manches de son pull-over. Tout cela faisait partie du passé... un passé mort et enterré.

— Après quelque temps, Wesley a cessé de toucher ses allocations de chômage, reprit-elle d'une voix sourde. Nous avions très peu d'argent pour vivre. Ma mère s'est mise à travailler chaque soir dans un restaurant. C'est à cette époque que j'ai commencé à... changer. J'étais grande pour mon âge, et cette année-là, je... euh...

— Vous avez mûri ?

— C'est cela, oui.

A l'expression de Dennis, elle sut qu'il avait deviné la suite de l'histoire.

— Wesley me regardait tout le temps. Et puis il s'est mis à me toucher à la moindre occasion. J'essayais de l'ignorer, mais il s'enhardissait de jour en jour. Pour me défendre, je lui tapais sur les mains et lui disais de me laisser tranquille. Il se contentait de rire d'un air goguenard. Pendant quelque temps, j'ai cru que je n'avais plus rien à craindre, qu'il avait compris que je ne me laisserais pas faire. Mais un soir, pendant que ma mère travaillait, il est entré dans ma chambre.

Julia baissa les yeux et contempla fixement la nappe blanche. Ses doigts tremblaient un peu.

— Il était si soûl que j'ai réussi à me débarrasser de lui tout de suite. Le lendemain, il avait l'air de ne pas se rappeler ce qui s'était passé, aussi je n'ai rien dit. Une dizaine de jours plus tard, il s'est introduit encore une fois dans ma chambre. Il était moins ivre que la fois précédente, mais je me suis débattue de toutes mes forces et je l'ai menacé de tout révéler à ma mère. Il a dit qu'elle ne me croirait jamais... et il avait raison. Ma mère m'a giflée violemment quand je lui ai raconté ce qu'il avait fait. Elle a dit que j'étais une sale petite menteuse, qui voulait détruire son ménage.

Dennis s'indigna.

— Deux jours plus tard, continua Julia, Wesley est entré de nouveau dans ma chambre. Cette fois-là, il a bien failli parvenir à ses fins. J'étais morte de peur, seulement je me suis défendue comme une diablesse. Alors, il m'a frappée, comme s'il avait perdu l'esprit. Il était fou de rage.

— Mon Dieu! Vous n'aviez que quinze ans! s'exclama Dennis avec une fureur mal contenue. Comment a-t-il osé...

Julia lui lança un regard incertain. Elle était toujours un peu étonnée de voir les gens prendre sa défense.

— J'ai eu peur... et j'avais honte, reprit-elle d'une voix à peine audible. Ma propre mère ne voulait pas me croire, je ne savais vers qui me tourner pour trouver de l'aide. J'ai réussi à lui échapper et j'ai quitté la maison. Pour toujours.

— Vous vous êtes rendue à New York?

— Oui. Je vous ai montré les articles de journaux. Mon histoire n'est pas très originale. Sauf que... au lieu de me laisser mourir dans un caniveau, au coin d'une rue déserte, Dieu m'a donné une nouvelle chance.

Elle hésita un instant, avant de demander timidement :

— Jim vous a-t-il raconté ce qu'il avait fait pour moi?

— Non. Pas vraiment. Etant donné sa position sociale, les journalistes se sont jetés sur cette histoire. Des tas d'articles ont été publiés dans les journaux de Boston et j'avoue qu'ils ont éveillé ma curiosité. Mais chaque fois que j'ai abordé ce sujet, Jim s'est fermé comme une huître. Impossible de lui soutirer la moindre révélation. Peu à peu, j'ai cessé d'y penser.

Julia s'absorba dans ses réflexions. Jim se souvenait-il

d'elle ? S'était-il jamais demandé ce qu'était devenue l'adolescente qu'il avait secourue un soir d'hiver ?

Soudain, la voix de Dennis lui parvint, l'obligeant à sortir de sa rêverie.

— Que... que disiez-vous ?

— Je vous demandais si vous étiez déçue que Jim ne m'ait jamais parlé de vous.

— Oh... Oh, non. Pas du tout.

Dennis la contempla un instant en silence, puis demanda :

— L'homme qui vous avait battue et que Jim a chassé... qu'est-il devenu ?

— Il est mort cette nuit-là d'une overdose. Ce sont les policiers qui me l'ont appris pendant mon transport à l'hôpital.

Dennis marmonna quelques mots indistincts et Julia crut entendre « bon débarras ».

— Sa mort a été un choc pour moi, confessa-t-elle alors d'une voix tremblante. Je le détestais, parce qu'il m'avait battue. Mais quand on m'a annoncé qu'il venait de mourir, la première chose que j'ai pensée, c'est que je me retrouvais seule. Complètement seule au monde.

— Mais... vous aviez... votre mère ?

— Les policiers ont trouvé mes papiers d'identité dans mon sac et ils lui ont téléphoné...

Julia haussa les épaules, l'air résigné.

— ... Elle leur a répondu qu'elle ne voulait plus entendre parler de moi.

— Mon Dieu...

— De toute façon, je ne serais pas retournée là-bas. Même si elle avait voulu de moi, je n'y serais jamais retournée.

— Bien sûr, je comprends. Mais vous étiez mineure. On n'a pas dû vous laisser sortir de l'hôpital comme ça !

— En effet. Le service social m'a trouvé une famille adoptive. John et Emily Kendricks. Ils ont trois fils, dont deux sont adoptés également. Ty et Lee avaient sept ans lorsque je suis arrivée chez eux. Quant à Peter, leur véritable enfant, il avait cinq ans et il était aveugle de naissance.

— Ah...

Dennis hocha la tête. Tout s'expliquait, à présent !

— Sans lui, je me serais sans doute enfuie de chez eux dès la première nuit. Je ne pouvais pas croire que John et Emily agissaient pour mon bien. J'étais persuadée qu'ils avaient des motivations obscures et inavouables pour m'accueillir chez eux. Et puis il y avait ce problème avec Ty et Lee... je leur faisais peur. Bobby n'y était pas allé de main morte, quand il m'avait battue. J'étais défigurée. Rien de définitif, fort heureusement, mais mon visage était bleu et enflé... j'étais affreuse à voir. Ils ont cru que j'étais... un monstre...

Julia frissonna et réprima un sanglot douloureux. Elle reverrait toujours le regard consterné et effrayé des jumeaux quand elle était entrée chez les Kendricks.

— Mais Peter m'a demandé de lui lire une histoire. Il trouvait que j'avais une jolie voix.

— C'est vrai, affirma doucement Dennis. Et vous êtes loin d'être laide, à présent.

— Du moins, je ne fais plus peur aux petits enfants.

Dennis parut déconcerté par sa réplique. Il y eut un instant de silence, puis il lui demanda de poursuivre son récit.

— Jim Williams m'a sauvé la vie et les Kendricks m'ont appris que celle-ci valait la peine d'être vécue. Peter m'a très vite baptisée Julia... j'ignore pourquoi, mais bientôt, toute la famille m'a appelée ainsi. Et comme je ne tenais pas spécialement à « Juline », j'ai laissé faire... Lorsque j'ai atteint l'âge de dix-huit ans, les services sociaux m'ont dit que j'étais désormais libre d'aller où je voulais. Mais les Kendricks m'ont proposé de rester chez eux. Je ne demandais que ça ! ajouta-t-elle avec un sourire.

— Oui, je comprends.

— J'ai passé mon bac, puis j'ai obtenu une bourse pour poursuivre mes études en faculté. J'ai décidé de devenir éducatrice spécialisée. A vingt et un ans, j'ai demandé à John et Emily de prendre leur nom. Ils ont accepté avec joie. Le jour où nous avons signé le papier officiel, Ty, Lee et Peter m'ont offert un superbe certificat, annonçant que j'étais légalement leur sœur.

Julia s'interrompit et essuya furtivement une larme.

— Et voilà, docteur Mitchell, comment Juline Fischer est devenue Julia Kendricks.

5.

— Et que pensent les Kendricks de ce que vous faites actuellement à Boston? interrogea Dennis.

Il était près de minuit et la voiture roulait à vive allure sur Massachusetts Avenue, en direction de Charles River Basin. Ils venaient de quitter le restaurant et s'étaient un peu chamaillés pour régler l'addition. Julia insistait toujours pour payer sa part. C'était une façon pour elle de se prouver que personne ne pourrait plus jamais l'acheter.

— Ils me comprennent, répondit-elle vaguement.

Ce n'était qu'une demi-vérité. Si ses parents adoptifs admettaient qu'elle se sentît redevable envers Jim, en revanche ils demeuraient réservés quant à la façon dont elle voulait rembourser sa dette.

Dennis ralentit et s'arrêta devant un feu rouge.

— Attendre plus de dix ans... c'est curieux, murmura-t-il, pensif.

— Le temps n'a pas vraiment d'importance. Pendant des années, je n'ai eu que cette pensée en tête : lui prouver ma reconnaissance. Ce que je n'avais pas envisagé, c'est qu'il puisse lui arriver quelque chose d'aussi terrible que cet accident...

— Vous ne l'avez jamais revu, jamais recontacté, après cette fameuse nuit?

— Je n'étais pas en état de le faire, pendant les premiers jours que j'ai passés à l'hôpital. Lorsque j'ai enfin émergé de ma torpeur, Jim avait disparu. J'ai posé beaucoup de questions à son sujet, mais personne ne voulait me répondre. Finalement, une des infirmières a consenti à me donner son nom — Jim Archer Williams. Cette même infirmière m'a révélé que Jim avait tenu à payer mes frais d'hospitalisation et elle m'a montré les articles de journaux. A ce moment-là, je me suis sentie plutôt soulagée que Jim soit parti sans me revoir.

— Que voulez-vous dire?

Le feu passa au vert et Dennis appuya sur l'accélérateur.

— Un des titres était rédigé ainsi :« Le jeune aristocrate de Harvard vole au secours de la prostituée. » Cela résumait clairement la situation, vous ne trouvez pas? Nous n'appartenions pas au même milieu.

— Jim n'est pas snob, Julia. S'il l'était, nous ne serions pas devenus amis, lui et moi. Il se moquait sûrement que vous...

— Peut-être. Mais pour moi, c'était important.

Ils roulèrent un moment en silence. Alors qu'ils abordaient Commonwealth Avenue, Dennis reprit :

— Et ensuite? Juline Fischer ne voulait pas revoir l'homme qui lui avait sauvé la vie. Soit. Mais Julia Kendricks? Vous lisiez tous les articles le concernant, vous auriez pu essayer de le joindre, contacter son bureau.

— A quoi bon? Je ne m'imaginais pas en train d'expliquer à sa secrétaire qui j'étais et pourquoi je voulais parler à Jim. Je vois ça d'ici : « Allô, je m'appelle Julia Kendricks. Il y a quelques années, quand j'étais adolescente et prostituée, M. Williams m'a sauvé la vie. Serait-il disponible pour bavarder un moment avec moi? »

— Voyons, Julia...

— Et supposez que la secrétaire lui ait passé la communication. Que lui aurais-je dit, Dennis? Au nom du ciel, qu'aurais-je pu dire?

— Eh bien... peut-être simplement « merci » ?

Julia détourna les yeux en frissonnant.

— Non, ce n'était pas assez, murmura-t-elle. Ce ne sera jamais assez.

La voiture s'arrêta devant l'imposante demeure de Jim. Deux lampadaires en fer forgé éclairaient la porte d'entrée, mais la maison elle-même était plongée dans l'obscurité.

— Apparemment, tout le monde dort, fit remarquer Dennis en coupant le contact. Comment allez-vous entrer ?

— J'ai une clé.

— Parfait.

Dennis sortit, contourna le véhicule et ouvrit la portière de Julia.

— Combien de temps comptez-vous rester chez Jim ? demanda-t-il en tendant la main à la jeune femme.

Ce n'était pas la première fois qu'il lui posait la question. Julia s'en tint à ce qu'elle lui avait répondu lors de leur première entrevue.

— Aussi longtemps que je lui serai utile.

— Et s'il ne recouvre jamais la vue ?

Le cœur de Julia se mit à battre un peu plus fort et elle réprima un frisson.

— Que savez-vous, Dennis ?

— Rien. Le corps médical est incapable de dire pourquoi Jim a perdu la vue. Nul ne sait s'il existe un traitement pour son cas précis.

— Alors, pourquoi me demandez-vous...

— Parce que je m'inquiète. Pour vous deux.

Julia ne sut que répondre et ils remontèrent en silence l'allée de gravier qui menait au perron.

— Julia..., commença Dennis, alors que la jeune femme fouillait dans son sac, à la recherche de sa clé.

Julia décela une pointe d'anxiété dans la voix de son compagnon.

— Ne vous tourmentez pas, Dennis. Je sais ce que je fais et pourquoi je le fais. Dès que Jim aura recouvré la vue, je partirai. Et... si cela ne se produit pas, eh bien... il arrivera un moment où j'aurai fait tout ce que je pouvais pour lui. Et alors, je quitterai cette demeure.

— Sans lui dire la vérité ?

— Non. Dennis... vous m'avez promis de ne jamais lui révéler quoi que ce soit.

— Je sais, mais...

— Mais ?

Il y eut un éclair de panique dans les yeux clairs de la jeune femme. Elle ne voulait pas que Jim apprenne la vérité. Pour lui, elle était Julia Kendricks et elle entendait le rester. Pas question de lui raconter que Julia Kendricks et Juline Fischer étaient une seule et même personne.

— Mais rien, répondit Dennis à mi-voix. Je vous ai promis de me taire et je tiendrai parole.

Julia scruta son visage en silence. Cet homme était la franchise même ; elle pouvait avoir confiance en lui.

— Merci, Dennis.

Elle ouvrit la porte. Avant de pénétrer dans le hall obscur, elle se tourna et sourit.

— J'ai passé une soirée très agréable, Dennis. Je vous remercie.

« Dennis... »

Jim agrippa nerveusement la porte de son bureau.

« ...Quand ils sont en tête à tête, elle l'appelle Dennis. »

La comédie de Julia ne l'avait pas trompé une minute, quelques heures plus tôt. Il savait qu'elle mourait d'envie d'accepter l'invitation du médecin. Et s'il avait encore eu le moindre doute à ce sujet, celui-ci se serait évanoui quand elle avait prétendu ne pas avoir de toilette adaptée à ce genre de sortie. Des minauderies... De toute évidence, elle cherchait à s'attirer un compliment... un compliment qu'un aveugle ne pouvait lui faire. Et Dennis s'était empressé de lui en adresser un, naturellement.

Dieu seul savait ce qui s'était passé ce soir entre Julia et... « mon meilleur ami... », se dit-il. Mais à en juger par leur longue absence, on pouvait tout supposer.

Ils étaient partis à 7 heures. Jim en était sûr, car au moment où la voiture de Dennis avait démarré dans l'allée, il avait entendu l'horloge de son bureau sonner sept coups. La même horloge venait de lui apprendre qu'il était juste minuit.

... Cinq heures ensemble ! Et lui, qu'avait-il fait de tout ce temps, enfermé dans son bureau ? Il aurait été bien en peine de le dire.

Emerson, habituellement si discret, s'était introduit dans la pièce une bonne demi-douzaine de fois, sous divers prétextes. Exaspéré, Jim avait fini par déclarer qu'il n'avait besoin de rien et avait suggéré au valet de monter se coucher. Emerson s'était donc retiré au premier étage, mais Jim ignorait s'il dormait.

La porte d'entrée se ferma discrètement et il entendit Julia tirer le verrou.

Un froissement de tissu...

Puis le bruit sec de ses talons sur le parquet du corridor...

Enfin, le déclic de l'interrupteur dans le salon...

Et elle étouffa une exclamation en le découvrant sur le seuil.

Jim imagina ses joues enflammées... peut-être avait-elle même posé une main sur sa poitrine. Il fit un pas en avant.

— Julia ?

— Je... je pensais que... vous étiez couché, balbutia-t-elle.

Se dirigeant au son de sa voix, Jim s'arrêta juste devant elle.

— Pourquoi pensiez-vous cela ?
— Il n'y avait aucune lumière dans la maison.
— Oh, vraiment ? Je ne m'en étais pas aperçu.
— Je...
— Avez-vous passé une bonne soirée ?
— Euh... oui. Oui, c'était très agréable.
— Et Dennis ?

Jim insista sur le prénom de son ami. Julia devait comprendre qu'il n'était pas dupe !

— Etait-il content de sa soirée ?
— Je... je l'espère.

Il perçut une certaine nervosité dans la voix de Julia. Elle était déconcertée... intriguée par son attitude. Tant mieux !

— Comment vous êtes-vous habillée, finalement ?
— Habillée ?
— Vous disiez ne pas avoir de toilette appropriée. Mais après avoir accepté l'invitation de Dennis, vous êtes montée vous changer. Je me demandais ce que vous portiez...
— Oh...

Une hésitation, comme si elle observait sa tenue afin de pouvoir lui répondre.

— J'ai mis une jupe et un pull-over noirs.
— Et des talons hauts.
— Euh... oui...
— Je les ai entendus claquer sur le carrelage.
— Oh, je vois.
— Pas moi, rétorqua-t-il avec un rictus narquois. J'aimerais que vous portiez ces talons tout le temps, et pas seulement quand vous sortez avec un homme. Cela me permettrait de vous localiser dans la maison. Je ne supporte plus vos maudites chaussures à semelles de caoutchouc !
— Oh, je ne m'étais pas rendu compte...
— A d'autres !

Il l'entendit inspirer violemment. Puis, sa voix douce et mesurée reprit :

— Je vous assure que non, monsieur Williams.

Monsieur Williams ? Signe que Julia se retranchait une fois de plus derrière sa froideur professionnelle. Dans une seconde ou deux, elle reculerait d'un pas, s'éloignerait de lui...

« Non ! Non, songea-t-il. Je ne veux pas qu'elle s'échappe. Pas ce soir. »

Jim avança la main droite devant lui et rencontra le visage de Julia. Celle-ci tressaillit, mais ne bougea pas. Alors, Jim sut qu'il avait franchi un pas important.

Lentement, avec une infinie délicatesse, il laissa glisser ses doigts sur la joue de la jeune femme. Des phrases toutes faites, entendues mille fois, lui traversèrent l'esprit... une peau exquise et satinée, la douceur du velours... Mais aucune de ces expressions n'était vraiment satisfaisante.

S'enhardissant, il posa l'autre main sur le visage de Julia. Une fois encore, il la sentit frissonner à son contact, mais elle ne se déroba point.

Puis il voulut connaître ses traits.

Son front lisse et bombé...

La ligne droite de ses sourcils...

Ses cils longs et épais...

Enfin, il connaissait ce visage. Oui... il pouvait sans peine l'imaginer.

Son petit nez était droit, ses pommettes saillantes, son menton ferme et arrondi.

Quant à sa bouche... Oh, sa bouche !

Jim passa son pouce sur les lèvres tièdes et douces. Et soudain, il s'aperçut qu'elle portait... mais oui, c'était... du rouge à lèvres !

Julia n'avait pas fait que se changer pour sortir avec Dennis Mitchell. Elle s'était également maquillée !

— Je vous en prie..., l'entendit-il murmurer. Oh, je vous en prie...

Il sentit son souffle sur ses doigts. Elle ne lui demandait pas d'arrêter... Jim était certain de cela. Mais désirait-elle vraiment qu'il continue? En fait, il eut l'étrange sensation qu'elle ne s'adressait pas à lui. Julia paraissait mener une lutte intérieure.

Ses doigts longs et fins se nouèrent sur les poignets de Jim, provoquant en lui un trouble délicieux.

Plus tard, il essaya de se persuader qu'il n'aurait pas agi ainsi si Julia ne l'avait pas touché. Pourtant... pourtant, il fit ce qu'il avait envie de faire depuis le premier jour. Depuis la toute première fois qu'il avait entendu le son de sa voix.

Il l'embrassa.

Tout ce qu'il voulait, c'était connaître le goût de ses lèvres. S'enivrer pendant quelques secondes d'un plaisir interdit. Mais sitôt que leurs lèvres s'unirent, ses bonnes résolutions s'envolèrent.

Les lèvres de la jeune femme s'entrouvrirent, comme les pétales d'une fleur.

Ses doigts quittèrent ses poignets, pour glisser sur ses épaules. Jim sentit la chaleur de ses mains à travers l'étoffe de la chemise.

Il glissa ses propres mains dans la chevelure blonde de Julia, défit un nœud de velours. Les boucles blondes et vaporeuses se répandirent entre ses doigts comme une cascade de soie.

Jim leva la tête, effleura les lèvres pulpeuses de la jeune femme. De quelle couleur était sa bouche? se demanda-t-il vaguement. Puis il l'embrassa avec ferveur. Elle répondit à son baiser avec une ardeur surprenante. Une passion mêlée de maladresse... Et brusquement, il sentit le corps souple et sensuel se raidir sous ses doigts, s'éloigner imperceptiblement. Abasourdi, il quitta ses lèvres. Pourquoi ce changement d'attitude? Que s'était-il passé?

— Jim... arrêtez, murmura Julia, haletante.

Les deux mains de la jeune femme se pressèrent sur sa poitrine, elle tenta de se dégager.

Il allait la questionner, mais les mots s'éteignirent sur ses lèvres.

Quelqu'un, tout près d'eux, venait de s'éclaircir discrètement la gorge. Inutile de demander qui se trouvait là. Jim aurait reconnu entre mille ce signe caractéristique par lequel Emerson l'informait de sa présence.

6.

Au moment où Julia pénétra dans la salle à manger, Emerson déposait une assiette sur la table.

— Votre œuf à la coque est juste devant vous, monsieur Jim. Les toasts sont à côté de votre fourchette. Et il y a de la confiture de fraise à gauche de votre assiette... Ah, mademoiselle Kendricks ! Bonjour, mademoiselle.

— Bonjour, Emerson.

Julia leva légèrement le menton et soutint bravement le regard du maître d'hôtel.

— Je suis désolée d'être en retard. J'ai... euh... oublié de remonter mon réveil.

Ce n'était pas tout à fait exact. Le réveil avait bien sonné à 6 heures et demie, comme d'habitude, la tirant d'un sommeil agité. Julia avait arrêté la sonnerie et s'était rendormie, la tête enfouie sous l'oreiller.

Environ une heure plus tard, elle s'était éveillée en sursaut, l'esprit encore plein de rêves troublants. Le souvenir de ce qui s'était passé la veille l'avait assaillie aussitôt et plongée dans un état d'agitation inhabituel. Après s'être rapidement douchée et habillée, elle s'était précipitée au rez-de-chaussée, juste à temps pour le petit déjeuner.

— Inutile de vous excuser, répliqua Emerson avec un sourire. Je vous sers du thé, comme d'habitude ?

Elle avait la gorge trop serrée pour avaler quoi que ce

soit, mais elle était fermement résolue à cacher son trouble. Si Emerson parvenait à se comporter comme si rien ne s'était passé, pourquoi n'en ferait-elle pas autant ?

Cependant, elle ne put s'empêcher d'observer Jim du coin de l'œil. Il étendit la main et saisit le verre de jus d'orange qu'Emerson venait de poser sur la table. Elle vit ses doigts longs et souples se refermer sur le verre...

Puis ses yeux se portèrent sur la bouche de Jim.

Sa bouche...

Ses lèvres douces et fermes... la chaleur de son baiser...

Quelques heures auparavant, cette bouche s'était posée sur la sienne, avait entrouvert ses lèvres. Jamais Julia n'avait vécu un tel moment d'harmonie et d'intimité avec un homme. Jim avait éveillé en elle un sentiment inconnu... Oui, il avait atteint la partie d'elle-même qui était demeurée pure et intacte, malgré les épreuves.

Jim Archer Williams l'avait embrassée et... aussi étrange et inexplicable que cela lui parût encore, elle lui avait rendu son baiser.

Quand elle l'avait vu, debout sur le seuil du bureau, elle avait tout d'abord été effrayée. De toute évidence, Jim était en proie à la colère. Instinctivement, elle s'était préparée à fuir, ou à lutter contre lui si besoin était. Quelle que soit sa dette envers Jim, elle ne voulait pas tenir le rôle de victime. Plus jamais.

Mais sitôt que Jim s'était approché et avait posé la main sur sa joue, sa peur s'était dissipée. Une vague de plaisir et de tendresse l'avait submergée et, soudain, elle avait eu la certitude que cet homme ne lui ferait jamais de mal.

Vacillante, elle l'avait laissé explorer son visage. Ses mains étaient douces, ses gestes délicats... Les seuls élans de tendresse qu'elle ait connus dans sa vie, ils lui avaient été offerts par un petit garçon de cinq ans ; et elle ignorait qu'un homme adulte pût faire preuve de tant de douceur...

Ce fut pour elle comme une seconde naissance, comme si elle parvenait enfin...

— Mademoiselle Kendricks?

La voix polie d'Emerson la tira de sa rêverie. Elle leva les yeux et croisa son regard. Le visage du vieil homme demeura impassible. Les pensées d'Emerson étaient indéchiffrables.

— Je prendrai la même chose que d'habitude, Emerson. Merci.

A son grand étonnement, elle parvint à s'exprimer d'un ton égal. Sa voix ne tremblait pas.

Emerson hocha la tête et se tourna vers le maître de maison.

— Désirez-vous autre chose, Jim?

— Rien, Emerson. Merci.

Jim posa son verre vide sur la table et Emerson sortit discrètement de la salle à manger. Julia s'assit à la droite de Jim, devant l'assiette que le maître d'hôtel avait préparée pour elle. Elle déplia la serviette damassée blanche et attendit.

Quoi? Elle n'aurait su le dire exactement. Emerson allait revenir dans un instant, avec la salade de fruits qu'elle prenait chaque matin au petit déjeuner. Jim allait-il lui adresser la parole entre-temps?

Deux minutes s'écoulèrent en silence. N'y tenant plus, Julia observa Jim du coin de l'œil. Ses traits étaient creusés et des cernes sombres soulignaient ses yeux. Apparemment, elle n'était pas seule à avoir mal dormi...

Jim saisit son couteau et, de la main gauche, chercha le coquetier qu'Emerson avait posé devant lui. Ses mouvements étaient lents, mais assurés, maintenant. Il accomplissait les gestes de la vie quotidienne avec de plus en plus de facilité.

Elle lui était d'une aide précieuse, naturellement. Elle lui enseignait toutes les techniques, lui indiquait tous les petits « trucs » susceptibles de lui faciliter la vie. Emerson faisait également sa part. Mais leurs efforts auraient été vains, sans la volonté de Jim de surmonter son handicap.

D'un coup de couteau léger et habile, il entama son œuf à la coque.

— Vous avez remis vos chaussures à semelles de caoutchouc, remarqua-t-il de but en blanc.

— Ce sont des chaussures de sport, précisa Julia. J'aime les porter, car elles sont très confortables. Mais si cela peut vous rassurer, je m'efforcerai de faire du bruit en marchant. Vous préféreriez peut-être que je porte des chaussures à clous ?

— A vrai dire, je pense que vous vous moquez complètement de mes préférences. Mais puisque vous me demandez mon avis, je préférerais des clochettes.

— Pardon ?

— Des clochettes à la cheville, répéta-t-il en esquissant l'ombre d'un sourire.

Sans hésitation, il saisit la petite cuillère qu'Emerson avait posée au bord de son assiette.

— Imaginez l'état des tapis et des parquets si vous portiez des semelles à clous !

Déconcertée par ce ton ironique, Julia ne répondit pas. Si elle avait adopté des chaussures de sport, c'était effectivement parce qu'elles étaient très confortables. Et aussi, parce qu'elles allaient parfaitement avec les pantalons qu'elle portait chaque jour. Contrairement à ce que pensait Jim, elle n'avait pas fait ce choix dans le but de l'embarrasser.

Du moins, pas vraiment...

La porte de l'office s'ouvrit et Emerson reparut.

— Votre petit déjeuner, mademoiselle Kendricks.

Le valet s'affaira autour d'elle, disposant une assiette et des couverts sur la nappe.

— Merci, Emerson, déclara Julia.

— Je vous en prie, mademoiselle. Puis-je me permettre de demander à mademoiselle si elle a passé une agréable soirée avec le Dr Mitchell ?

Julia se figea. Agréable... Emerson employait exactement le même terme que Jim.

Combien de temps les avait-il observés, la veille, dans le salon ? se demanda-t-elle, mal à l'aise. Elle avait vu la lumière s'allumer à l'étage. Quelques secondes plus tard, il avait toussoté pour signaler sa présence, puis il avait descendu l'escalier et était entré au salon. Julia et Jim avaient eu le temps de se séparer. Ils se tenaient à bonne distance l'un de l'autre quand le valet avait demandé s'il pouvait leur être utile. Mais...

— Oui, très agréable, articula Julia d'une voix sourde.

— La soirée a été également très plaisante pour Dennis, intervint Jim d'un ton tranchant.

— Le Dr Dennis Mitchell est un homme admirable, poursuivit Emerson. Rien d'étonnant à ce que l'université de Harvard lui ait accordé une bourse d'études aussi importante.

Julia fronça les sourcils, intriguée. Où le vieil homme voulait-il en venir ?

— En fait, il a obtenu deux aides, reprit Emerson. L'une pour passer sa licence, l'autre pour faire ses études de médecine. Il ne vous l'a donc pas dit ?

— Euh... non.

— Je le reconnais bien là. Il est si modeste...

Julia lança un coup d'œil à Jim. Les traits figés, apparemment impassible, il mangeait de manière presque mécanique.

— Emerson...

Mais le valet ne la laissa pas continuer.

— Savez-vous qu'il ne s'est jamais marié ? Il faut dire que M. Mitchell sort très peu, ce n'est pas un mondain. Il est extrêmement rare qu'il invite une dame à dîner. Je connais pourtant des douzaines de femmes qui ne demanderaient pas mieux, mais...

— Emerson.

Le valet posa sur elle un regard faussement innocent.

— Oh, je suis désolé, mademoiselle Kendricks, déclara-t-il en reprenant instantanément son rôle. J'ai oublié le citron pour votre thé. Veuillez m'excuser.

Sur ces mots, il tourna les talons et s'éclipsa.
Julia entendit la porte de l'office se refermer sur lui. Quelle mouche avait piqué Talley O'Hara Emerson? Qu'avait-il donc derrière la tête? En tout cas, quelles que soient ses intentions, elle n'allait pas se laisser manipuler!
Froissant sa serviette blanche entre ses doigts, elle se leva.
— Je vous prie de m'excuser, monsieur Williams, murmura-t-elle, avant de se diriger vers la cuisine.

Emerson ferma la porte du réfrigérateur en fredonnant.
— Monsieur Emerson?
Le valet se tourna, un masque d'indifférence sur le visage.
— Emerson, tout simplement, mademoiselle Kendricks.
Julia sentit la moutarde lui monter au nez.
— D'accord, Emerson, répliqua-t-elle sèchement. Dites-moi, Emerson, qu'essayiez-vous de faire, tout à l'heure?
— Moi, mademoiselle? Je servais le petit déjeuner.
— Mais encore?
— Sincèrement, mademoiselle Kendricks, je ne vois pas à quoi vous faites allusion...
C'en était trop! Julia perdit son sang-froid.
— Assez, Emerson! Vous ne vous êtes pas contenté de servir et vous le savez très bien!
Il y eut une pause interminable. Emerson perdit un peu de sa superbe.
— Vous voulez parler de ce que j'ai dit à propos du Dr Mitchell?
— Exactement.
Emerson sembla livrer une dure bataille intérieure. Enfin, Julia lut une résolution dans ses yeux d'un bleu délavé. Emerson venait de prendre une décision.

— Je connais Jim Williams depuis sa plus tendre enfance, énonça-t-il lentement. Il est comme... enfin... je le considère parfois comme mon propre fils. Et je sais qu'une seule chose peut le motiver : c'est le besoin de gagner.

Julia serra les poings et ses ongles s'enfoncèrent dans les paumes de ses mains.

— C'est donc cela que vous essayez de faire? Le motiver pour gagner?

— Dans un sens, oui.

— Jim Williams face à Dennis Mitchell.

Le visage du maître d'hôtel s'assombrit quelque peu.

— Eh bien... oui.

— Et moi, qu'est-ce que je suis, dans tout ça? Un trophée, que se disputent ces messieurs?

Le valet haussa les sourcils, visiblement choqué.

— Ce n'est pas ce que...

— Non, bien sûr. Vous auriez employé un autre terme, quelque chose de plus raffiné. Mais cela revient au même, Emerson! Et c'est odieux.

— Mademoiselle Kendricks!

Des émotions qu'elle avait tenues en échec pendant dix ans refluèrent en un clin d'œil, comme des démons brusquement ressuscités.

— Que voyez-vous quand vous me regardez, Emerson? Une poupée? Pour vous, je ne suis pas une personne, je ne suis qu'une chose, qui peut être achetée. Une femme qu'on peut se payer, une femme qui n'a pas de sentiments, pas de...

Elle s'interrompit et se détourna, la gorge serrée. Le sang lui battait aux tempes. La personnalité de Julia Kendricks, qu'elle avait mis dix ans à construire, était en train de s'effondrer misérablement. Où étaient sa dignité, son allure respectable?

D'un seul regard, Talley O'Hara Emerson l'avait démasquée, et avait mis à nu Juline Fischer.

« Je ne peux pas rester, songea Julia, désespérée. Et pas après cela... pas après ce qui s'est passé hier soir ! »

Elle avait désiré ce baiser. Pour la première fois de sa vie, elle avait eu envie qu'un homme l'embrasse et la caresse. Mais elle avait eu tort. Tout était gâché, à présent.

Des voix du passé resurgirent. Des voix qu'elle tentait d'oublier depuis dix ans. Les grognements de Wesley Summers...

Tu en meurs d'envie, hein, ma petite chérie ?

Puis les hurlements hystériques de sa mère.

Menteuse ! Sale petite menteuse ! Tu crois que je n'ai pas compris ce que tu veux ?

— Mademoiselle Kendricks.

Julia secoua violemment la tête. Non, non... non.

— Mademoiselle Kendricks.

Une main se posa sur son épaule, mais elle se dégagea vivement. Elle tremblait de la tête aux pieds.

— Julia...

Le ton sur lequel Emerson prononça son nom la fit tressaillir et elle consentit enfin à se tourner vers lui. Il y avait de la douleur dans sa voix ; une douleur intense, indéniable.

Tout d'abord, elle ne dit rien, de crainte de ne pouvoir maîtriser sa voix. Elle se contenta de dévisager le vieil homme, attendant qu'il prenne la parole.

— La première fois que nous nous sommes rencontrés, déclara-t-il gravement, vous m'avez demandé quelles étaient mes fonctions dans cette maison. Et je vous ai répondu que je faisais tout ce qui était nécessaire. Malheureusement, je ne sais pas toujours... ce que l'on attend de moi. Et même lorsque je le devine...

Il eut un geste vague, un peu triste.

— ... Je veux dire que... la fin ne justifie pas toujours les moyens.

Julia demeura silencieuse. L'homme paraissait sincère.

— Vous voulez savoir ce que je vois, quand je vous regarde? demanda-t-il en soutenant son regard. Je vois une adorable jeune femme, qui fait un travail remarquable. Une jeune femme qui est seule à pouvoir aider un homme qui souffre. Quant à ce que j'ai dit dans la salle à manger, je le regrette. Je regrette du fond du cœur.

Julia balança une minute entre la peur et le besoin de croire ce qu'Emerson lui disait.

— Je ne comprends pas..., finit-elle par balbutier. Qu'est-ce qui vous fait penser... enfin, pourquoi...?

— Depuis qu'il est sorti de l'hôpital, Jim n'a pas quitté cette maison, excepté pour se rendre chez le médecin. Vous voyez vous-même comment ça se passe : il traite ses affaires par téléphone; j'ai pour consigne de ne laisser entrer personne, le Dr Mitchell mis à part. Pourtant, il y a eu des visiteurs pour lui... beaucoup de visiteurs. Ainsi que des invitations. Il m'a ordonné de jeter les cartons à la poubelle. Avant votre arrivée, j'ai fait tout ce qui était en mon pouvoir pour le décider à sortir. En vain. Je pensais... j'espérais que ce dîner avec Dennis Mitchell l'inciterait à faire de même.

Julia réfléchit longuement. Emerson lui inspirait confiance, mais...

— Vous pensiez que Jim accepterait de sortir avec Dennis? lança-t-elle enfin, adoptant délibérément le ton de la plaisanterie.

L'espace d'une seconde, elle regretta ses paroles. Mais soudain, elle vit le visage du valet se détendre.

— Ce n'était pas exactement ainsi que j'envisageais les choses, répliqua-t-il en souriant.

Il hésita, puis ajouta :

— Cependant, je voudrais être sûr... euh... le Dr Mitchell et vous... euh...

Julia devina la question qu'il n'osait pas formuler.

— Dennis Mitchell est un homme adorable, répondit-elle vivement. Mais il n'y a que de l'amitié entre nous.

— Il faut que vous sachiez que Jim pense...

— Jim est *aveugle*, déclara Julia, sans lui laisser terminer sa phrase. Il ne voit rien... et surtout pas la vérité.

Il y eut un silence, puis Emerson hocha la tête, pensif.

— Croyez-vous que tout le monde voit la vérité, mademoiselle Kendricks ?

— Je... je...

— Il y a une chose pour moi, qui est évidente... c'est que Jim vous aime beaucoup. Vous l'attirez.

Julia sentit ses joues s'enflammer.

— Jim a besoin de moi et cela lui déplaît souverainement, rétorqua-t-elle, sur la défensive. Manifestement, il avait l'habitude d'être indépendant, de ne compter que sur lui-même...

Elle eut l'ombre d'une hésitation, puis se décida à dire ce qui lui tenait à cœur :

— Emerson, la scène dont vous avez été témoin hier soir au salon, euh...

— Cela ne me regarde pas, n'est-ce pas ?

— Eh bien...

— C'est entre Jim et vous, Julia...

— Non ! s'exclama Julia. Enfin... je veux dire, bien sûr, c'est entre M. Williams et moi. Mais en réalité... il n'y a rien entre nous. Rien.

Emerson l'observa longuement avant de répliquer :

— Je comprends.

— C'est tout ce que vous trouvez à dire ? Je comprends ?

Le plus étrange, c'est qu'elle était certaine qu'Emerson comprenait effectivement ce qu'elle voulait dire.

— Je désire l'aider, Emerson.

— Vous l'avez déjà fait.

— Ce n'est pas assez.

— Vous en avez fait plus que vous ne le pensez. Et ce n'est pas fini.

Il se tut et observa attentivement Julia.

— Est-ce que je me trompe?

Quelques minutes auparavant, Julia s'était dit qu'il ne lui restait plus qu'à quitter cette maison. A présent, elle pensait le contraire. Il fallait qu'elle reste... qu'elle aille jusqu'au bout de la tâche qu'elle s'était fixée.

Mais ce qui s'était passé dans le salon ne devait plus jamais se reproduire.

— Non, répondit-elle d'une voix ferme. Vous ne vous trompez pas.

— C'est bien. Je serais désolé de vous voir partir. Surtout... si j'étais responsable, par ma maladresse, de ce départ.

— N'y pensez plus, Emerson. C'est déjà oublié.

— Je connais peu de gens qui pardonnent si aisément.

— La plupart des gens ne connaissent pas aussi bien que moi le chemin de l'enfer... et les bonnes intentions dont il est pavé.

Un sourire fugitif se dessina sur les lèvres du vieil homme.

— Pour en revenir à notre toute première discussion, mademoiselle Kendricks... vous pouvez me demander de l'aide en toutes circonstances. Je serai toujours là.

— Je le sais, Emerson. Je n'hésiterai pas.

— Merci.

Cette fois, un sourire s'épanouit sur son visage.

— D'ici là, je me contenterai de servir le petit déjeuner et de déplacer des meubles de temps à autre.

Julia rit de bon cœur.

— Marché conclu.

Il y eut un autre silence, apaisé cette fois. Puis, Julia déclara :

— Il faut que je retourne dans la salle à manger. Au fait, ce n'est pas la peine de chercher du citron.

— Du... citron?

— Le citron pour mon thé.

— Mais vous n'en prenez jam... oh...

Julia fit mine de sortir, mais elle se ravisa.
— Emerson?
— Oui, mademoiselle Kendricks?
— Pensez-vous que vous pourriez m'appeler Julia?
Talley O'Hara Emerson lui adressa un large sourire.
— Ce serait un grand honneur pour moi, mademoiselle.

— Je pensais que vous ne reviendriez jamais! s'exclama Jim.
Il avait repoussé son assiette et sa serviette était posée sur la table.
— Désolée, répondit Julia en reprenant sa place.
— C'était une simple remarque. Inutile de vous excuser.
— Oh...
— Qu'avez-vous fait pendant tout ce temps?
— Je parlais avec Emerson.
— Vraiment? Et de quoi?
Du bout des doigts, il tambourinait sur la table, l'air impatient.
Julia ne put s'empêcher d'observer ses mains. Ses doigts étaient longs et virils.
Elle repensa à ces doigts, posés sur son visage, et elle se sentit parcourue d'un frisson...
— Julia?
— Oui... Nous parlions de votre attrait pour la compétition, Jim.
Jim cessa de tambouriner sur la table. Julia le regarda toucher sa montre de la main droite. C'était une montre spéciale pour aveugles, en braille. La première chose que Julia lui ait donnée quand elle s'était installée chez lui. Bien qu'il sache s'en servir à la perfection, c'était la première fois qu'elle le voyait le faire spontanément.
— Et vous avez parlé de mon attrait pour la compétition pendant... quinze minutes?

— Oh, entre autres choses, naturellement.
— Je déteste qu'on parle de moi derrière mon dos.
Julia fut saisie d'une envie irrésistible de le taquiner, comme elle le faisait quelquefois avec ses frères Peter, Ty et Lee.
— Soyez tranquille, vous n'étiez pas notre seul sujet de conversation.
— Ah vraiment? Et de qui d'autre avez-vous parlé?
Pour la première fois de sa vie, Julia comprit le pouvoir dont une femme disposait sur un homme. C'était tout à la fois tentant et effrayant. Sans réellement envisager les conséquences de ses paroles, elle répondit :
— Dennis Mitchell.
Les doigts de Jim se crispèrent sur la nappe. Il y eut un silence, puis Jim murmura :
— A propos d'hier soir...
Julia tressaillit.
— N'en parlons plus, Jim. C'est oublié.
— Non. Pas pour moi.
Il se tourna sur sa chaise et le cœur de Julia fit un bond. Il la fixa de ses yeux sombres et pendant un court instant, elle eut l'impression étrange qu'il avait recouvré la vue.
— Rien ne s'est passé, affirma-t-elle, en maîtrisant tant bien que mal le tremblement de sa voix.
Jim ne dit rien.
— Monsieur Williams...
— Hier soir, vous m'appeliez Jim.
— Ah... ah oui?
— J'en suis certain.
Les souvenirs surgirent. Effectivement, elle l'avait appelé Jim. Elle se revit, plaquée contre son torse puissant, les mains posées sur ses épaules. Elle avait fait mine de le repousser mais, en réalité, elle n'en avait aucune envie. Tout au contraire...
— J'aimerais vous entendre encore prononcer mon prénom, Julia.

Elle aurait pu invoquer des dizaines de prétextes pour refuser... Aucun ne lui vint à l'esprit. Elle demeura muette.

— Julia? S'il vous plaît...

— S'il vous plaît? C'est étrange, mais... j'ai l'impression que ce sont des mots que vous n'employez pas très souvent.

A peine ces paroles venaient-ils de franchir ses lèvres qu'elle les regretta. Mais il était trop tard pour revenir en arrière.

— Vous me connaissez bien, à présent, répondit Jim sans se troubler. Et vous savez qu'en certaines circonstances, je peux me montrer fort désagréable.

Julia écarquilla les yeux.

— Pardon?

— Je suis un tyran. Du moins, c'est l'opinion de Dennis.

— Dennis Mitchell parle ainsi de vous?

Jim haussa les épaules.

— Il me l'a dit il y a peu de temps. Mais il sait que je peux également être charmant...

— Quand vous a-t-il dit cela?

— Hier. Juste avant de me demander ce que je dirais s'il vous invitait à dîner.

— Quoi? Il vous a demandé ce que vous en pensiez?

— Julia...

Jim se pencha en avant et, une fois encore, Julia eut l'impression qu'il la regardait.

— Dennis a raison. Et ce qu'Emerson a dit de lui il y a un instant est absolument exact. C'est un des types les plus sensationnels que je connaisse.

Julia rêvait-elle, ou Jim tentait-il de s'excuser?

— Est-ce pour cela que vous m'avez presque jetée dans ses bras? Parce que vous pensez que vous êtes très désagréable, alors que Dennis est paré de toutes les vertus?

Jim s'enferma dans le silence.

— Je ne voulais pas y aller, affirma-t-elle.

— Vraiment pas?

— Non.

— Mais vous avez quand même passé une agréable soirée en sa compagnie.

Julia eut un geste exaspéré.

— J'aurais pu passer une soirée aussi agréable avec vous! riposta-t-elle avec un brin d'impatience.

— Agréable? Non... ce n'est pas le terme que j'aurais employé.

La réponse de Jim était à mi-chemin entre l'insolence et la flatterie.

— Je suis désolé, ajouta-t-il.

— Désolé? Et pour quoi?

Il ferma les yeux, un instant désarçonné.

— Pour tout. Tout ce que vous voudrez.

Soudain, il parut si désemparé que l'irritation de Julia se dissipa. Spontanément, elle tendit la main vers lui, mais se ravisa. Il ne fallait pas répéter la maladresse qu'elle avait commise quelques jours auparavant.

— Ce que je veux, c'est... vous aider.

Jim ouvrit les yeux et tourna vers elle ses prunelles sombres.

— Pourquoi?

L'espace d'une seconde, elle fut sur le point de tout lui révéler. Mais elle se contint.

— Julia? Répondez.

— Parce que vous avez besoin qu'on vous aide.

Le soupçon de vulnérabilité qu'elle avait décelé dans son attitude disparut.

— C'est juste, murmura-t-il.

Il y eut un silence prolongé. « C'est juste. » Que signifiaient ces mots pour lui? s'interrogea Julia. D'après Dennis, Jim ne pensait pas toujours ce qu'il disait... et ne disait pas toujours ce qu'il pensait.

— Julia?

— Oui?

— Allez-vous faire une promenade aujourd'hui?

— Essayeriez-vous de vous débarrasser de moi?

— Non. En fait... j'espérais que vous m'inviteriez à vous accompagner.

Julia sentit les battements de son cœur s'accélérer.

— Que répondriez-vous, si je vous le demandais?

Jim sourit. Un sourire envoûtant, qui la fit frissonner de la tête aux pieds.

— Posez-moi la question et vous verrez bien.

7.

— Où sommes-nous ?

Jim leva la tête et écouta les bruits de la circulation. Il constata avec satisfaction qu'il parvenait de mieux en mieux à identifier les sons, et à s'en servir pour s'orienter. A condition qu'il n'y ait pas trop de vent. Le vent déformait les bruits les plus anodins, avait-il remarqué la veille, lors de sa promenade quotidienne avec Julia. Aujourd'hui, grâce au ciel, une brise légère avait remplacé le vent violent.

— Jim ? Savez-vous où nous sommes ? répéta Julia.

Jim ne se lassait pas de l'entendre l'appeler par son prénom. Quelquefois, il se demandait si ce plaisir n'était pas démesuré...

— Je suis perdu.

Julia eut un petit rire de gorge.

— Nous nous trouvons pourtant dans votre quartier !

— Oui, mais... lorsque je voyais, je ne m'y intéressais pas, répondit-il avec un sentiment de regret.

— Essayez de vous le représenter, comme sur une carte.

Jim frappa de sa canne le bord du trottoir, retraçant en pensée la route qu'ils avaient empruntée en quittant la maison de Commonwealth Avenue.

— Au coin de Boylston et Arlington, murmura-t-il enfin. L'église Universaliste se trouve à gauche et le jardin public, de l'autre côté de la rue.

— Tout à fait exact.

Ils reprirent leur marche, Jim balançant sa canne devant lui. De la main gauche, il tenait fermement le bras de Julia. Leurs mouvements s'harmonisaient à la perfection.

— Cela ne vous ennuie pas? questionna-t-il soudain.

La première fois qu'il avait donné le bras à la jeune femme pour sortir, il avait été frappé par la communion qui s'était aussitôt établie entre eux. Jim avait totalement confiance dans Julia... et cela le bouleversait.

— Que voulez-vous dire, Jim?

— Le fait de guider un aveugle.

— Pas du tout. D'ailleurs, je ne vous guide pas, je vous apprends à vous repérer.

— C'est la même chose.

— Certainement pas.

Ils marchèrent en silence pendant une ou deux minutes. Julia le prévint qu'ils allaient atteindre le bord du trottoir. Jim surmonta l'obstacle sans peine.

— Quand j'étais à l'hôpital, j'ai demandé un jour à un infirmier de me conduire à la salle de bains. Il m'a pris par le bras et m'a poussé devant lui. J'ai eu l'impression d'être un sac de pommes de terre ballotté dans n'importe quel sens!

— Beaucoup de gens agissent de cette façon, la première fois qu'ils aident un non-voyant.

— Etait-ce également votre cas?

Julia se mit à rire.

— Le premier aveugle que j'ai voulu aider, c'était mon frère Peter. Il n'a pas hésité à me dire ce que je devais faire et ne pas faire!

Peter... Jim savait qu'il s'agissait du frère de Julia, qu'il avait quinze ans et qu'il était né aveugle.

La jeune femme lui avait parlé de son frère lors de leur deuxième promenade à l'extérieur. Elle avait prononcé son nom d'une voix douce, pleine de tendresse.

Peu à peu, au cours de leurs sorties, elle lui avait aussi confié des petits riens sur sa vie. Au fil des jours, leur conversation avait pris un ton de plus en plus personnel.

C'est ainsi que Jim avait appris que Julia avait perdu son père à l'âge de dix ans. Quant à sa mère, il ignorait ce qu'elle était devenue. D'après ce qu'il avait compris, elle était toujours vivante, mais Julia ne la voyait plus.

Outre Peter, la jeune femme avait encore deux frères : Ty et Lee. Comme elle lui dit qu'ils avaient tous deux dix-huit ans, il en déduisit qu'ils étaient jumeaux. Et puis, il y avait ses parents adoptifs, John et Emily, pour qui elle semblait éprouver tendresse et dévotion.

Curieusement, cela lui avait rappelé sa propre relation avec Emerson et il avait éprouvé le besoin d'en parler avec Julia. C'est ainsi qu'il avait été amené à lui révéler quelques aspects de sa vie familiale.

De là à dire qu'ils avaient vidé leurs cœurs au cours de leurs promenades bostoniennes, il y avait un pas. Julia n'avait pas son pareil pour détourner une conversation, l'orienter sur un sujet anodin. Quant à Jim, il avait passé le plus clair de sa vie à dissimuler ses sentiments profonds. Mais tous deux avaient ébauché des confidences.

Jim était partagé. D'un côté il aurait aimé en savoir davantage sur Juli,a et de l'autre... il se méfiait des sentiments qui pouvaient naître de cette toute nouvelle intimité.

— Avez-vous pris une décision au sujet du chien, Jim ?

Jim fit un effort pour se concentrer sur la réalité. Plongé dans ses pensées, il avait perdu le fil de leur conversation et ne savait même plus où ils se trouvaient. Il ne fallait plus qu'il se laisse aller ! pensa-t-il, furieux contre lui-même. S'il continuait ainsi, il deviendrait complètement dépendant de Julia pour se déplacer à l'extérieur. Il n'en était pas question.

— Oui, répliqua-t-il brièvement.

— Oui, quoi ?
— Oui, j'ai pris une décision.
— Et alors ?
— C'est non. Pas de chien.
Sa décision était prise. La canne, oui. L'aide de Julia, passe encore. Tout cela deviendrait inutile lorsqu'il aurait recouvré la vue. Mais s'il acceptait d'adopter un chien-guide, cela signifiait que...
— Avez-vous déjà eu un chien ?
— Oui, il s'appelait Beacon. Il s'est enfui quand on m'a envoyé en pension.
— Oh, je suis désolée.
Jim eut un rictus qui ressemblait vaguement à un sourire.
— Il n'y a pas de quoi. Ce n'est pas votre faute.
— Ni la vôtre.
Jim sentit sa gorge se serrer douloureusement. Il y avait des années qu'il ne pensait plus à Beacon. Ou pour être exact, qu'il s'interdisait d'y penser.
— Bien sûr, que c'est ma faute. Je l'ai abandonné.
— Mais vous n'étiez qu'un petit garçon !
Jim s'arrêta net. Il s'aperçut que Julia en faisait autant. Sans doute le regardait-elle, l'air étonné ?
— Comment savez-vous cela, Julia ?
La jeune femme ne répondit pas tout de suite. Il imagina son regard bleu-vert, ses jolis sourcils froncés.
— Julia ?
Il l'entendit soupirer.
— Le soir où j'ai dîné avec Dennis Mitchell, celui-ci m'a raconté que votre père vous avait envoyé en pension à l'âge de huit ans. J'en ai conclu...
— Je n'aime pas que l'on parle de moi derrière mon dos. Il me semble vous l'avoir déjà dit.
— Pour l'amour du ciel, Jim ! De quoi voudriez-vous que je parle avec Dennis ? Vous êtes la seule personne qui nous rapproche, il est naturel que votre nom revienne de temps à autre dans la conversation.

— De là à passer ma scolarité en revue, il y a une marge !

— Dennis ne m'a pas dit si vous aviez échoué à vos examens ! Vous êtes tranquillisé ?

Pourquoi ce ton farouche, presque agressif ? Que lui cachait-elle ? Ainsi, son instinct ne l'avait pas trompé, il y avait bien *quelque chose* entre Julia et Dennis. Ce n'était peut-être pas une attirance physique... mais un lien mystérieux les unissait. Une espèce de... complicité. Une conspiration contre... contre... *lui*.

Il prit une profonde inspiration et quand il parla de nouveau, ce fut d'un ton froid et tranchant.

— Que penseriez-vous, Julia, si vous découvriez que Dennis et moi parlons de vous quand vous n'êtes pas là ?

— Mais vous parlez de moi ! Puisque Dennis vous demande la permission de m'inviter à dîner !

Jim éclata de rire. Julia savait admirablement retourner la situation à son avantage !

— Touché ! accorda-t-il avec bonne humeur.

Ils reprirent leur promenade. Jim n'en était pas totalement certain, mais il pensait qu'ils se trouvaient dans Newbury Street.

— Je suis vraiment désolée pour Beacon, déclara brusquement Julia.

— C'est de l'histoire ancienne, rétorqua-t-il avec un haussement d'épaules désabusé.

Il ne voulait plus songer à l'adorable petit bâtard, une boule de poils blanche et noire, qu'il avait découvert dans sa chambre au matin de son septième anniversaire. Il en était resté muet de joie et de surprise. Mais il ne voulait plus évoquer ce souvenir douloureux. Comme il ne voulait plus évoquer la discussion qu'il avait surprise quelques heures plus tard entre ses parents.

— Mais Archer, disait sa mère, Jim désirait tant avoir un chien ! C'est le seul cadeau qu'il m'ait demandé.

— Depuis quand les enfants obtiennent-ils tout ce

qu'ils désirent ? avait répondu Archer, de sa voix dure et métallique. Je pensais m'être bien fait comprendre à ce sujet, Margaret.

— Oui, chéri, mais... avez-vous vu le visage de Jim ? Il était transporté de bonheur.

— Transporté de bonheur ? A cause d'un sale petit bâtard trouvé dans le ruisseau ? C'est bien de là qu'il vient, ce chien, n'est-ce pas ?

— Je... ne sais pas au juste. Emerson l'a ramené et...

— Emerson ? Un domestique s'est permis d'offrir un chien à mon fils, alors que je n'étais pas d'accord ?

— Non !

Sa mère avait paru réellement effrayée. Jim se rappelait aussi la crainte qui l'avait envahi à cet instant. Il n'avait jamais bien compris pourquoi.

— Non, Archer. C'est moi qui ai demandé à Emerson de trouver un petit chien pour Jim. Il s'est contenté d...

— Jim ! Attention, Jim... !

Un cri et une brusque poussée en arrière lui firent reprendre pied dans la réalité. Il y eut un bruit de freins et en un éclair, il comprit ce qui s'était passé.

— Jim ! Jim ! Vous avez failli vous jeter sous cette voiture ! s'exclama Julia, la voix tremblante. Bon sang, mais qu'est-ce qui vous a pris ?

— Oui, j'ai... entendu.

— Il faut vous concentrer davantage, Jim !

— Je sais. Je suis désolé.

— Je ne veux pas de vos excuses. Je veux simplement que vous fassiez attention !

La jeune femme parlait d'un ton vibrant d'anxiété. « Elle se soucie réellement de moi, songea Jim avec stupéfaction. Mes progrès lui tiennent à cœur. »

Mais pourquoi ? Pourquoi ? C'était la question qu'il ne parvenait pas à résoudre depuis l'arrivée de Julia. Son inébranlable dévouement ne pouvait s'expliquer... C'était plus que la passion d'un métier. C'était un investissement personnel.

Ce qui n'avait aucun sens. Car il ne connaissait pas Julia Kendricks, n'avait jamais rien fait pour elle. Il s'était même comporté d'une façon plutôt odieuse, depuis qu'elle vivait sous son toit. Plus d'une fois, il avait déversé sur elle son amertume et sa rancœur, alors qu'elle ne le méritait pas.

— Jim?

Julia semblait radoucie.

— Qu'y a-t-il?

— Je suis désolée, je n'aurais pas dû crier. Je m'en veux.

Une fois de plus, la mémoire de Jim remonta loin, très loin en arrière. Il entendit sa mère plaider sa cause d'une voix suppliante, tentant vainement d'apaiser la colère d'Archer Williams contre son fils, contre elle-même...

Et maintenant Julia balbutiait des paroles d'excuses. Seigneur! Que croyait-elle? Qu'il était comme... lui? Qu'il voulait humilier les personnes de son entourage, les écraser de son autorité?

Jim tendit la main et chercha le visage de Julia, toucha sa joue du bout des doigts.

— C'est moi qui étais en tort, Julia. Et vous n'avez pas crié.

— Mais...

— Chut..., murmura-t-il en posant un doigt sur la bouche de sa compagne. Je ne vois pas, mais j'ai l'oreille très fine, Julia. Et je sais que vous n'avez pas crié.

Au bout d'un moment, il sentit ses traits se détendre, ses lèvres former un sourire. Il retira la main de son visage et lui reprit le bras.

— Ce n'est pas toujours vrai, savez-vous?

— Quoi donc, Julia?

— Que les non-voyants entendent mieux que les autres.

— Vous voulez dire que je ne pourrai jamais accorder les pianos?

Il fut surpris lui-même : qui aurait cru qu'il saurait un jour sourire de sa propre infirmité ?

— Et les odeurs ? poursuivit-il en esquissant une grimace. Croyez-vous que mes capacités olfactives vont se développer ?

— Je l'ignore, Jim.

A cet instant, il faillit lui avouer qu'il reconnaîtrait son parfum entre mille. Mais il garda le silence, de crainte d'effaroucher sa compagne.

— Continuez de me guider, mademoiselle Kendricks, dit-il simplement.

Elle obtempéra.

Plus ils se rapprochaient de la maison, plus Jim reprenait confiance en lui. Il laissait sa canne glisser le long du trottoir et retraçait mentalement leur route.

Il y eut des aboiements, quelque part dans un jardin. Cela lui rappela leur conversation et il posa une question qui lui brûlait les lèvres depuis un certain temps.

— Votre jeune frère possède-t-il un chien d'aveugle ?

— Oh, oui. C'est un berger allemand. Il s'appelle Amadeus.

— J'en conclus que Peter aime Mozart ?

— Oui. Ainsi que le rock, le rap et le reggae. Et toutes sortes d'autres musiques. Peter est un excellent musicien. L'année dernière, il a été accepté dans l'orchestre de l'université. On lui a demandé d'y jouer cette année encore, mais il hésite. En fait, il espère trouver un job dans un de ces groupes modernes.

Ils marchèrent quelque temps sans échanger une parole, puis Jim déclara :

— Ma mère était musicienne. Pianiste, très exactement. Elle espérait pouvoir se produire en concert.

— Elle devait très bien jouer.

— Je... ne l'ai jamais entendue. Mon père n'aimait pas qu'elle joue.

— Mais pourquoi ?

— Je ne sais pas très bien. Par jalousie, sans doute. Il craignait qu'elle ne consacre trop de temps à cette passion. Ou bien qu'elle en retire de l'admiration de la part d'autres hommes. Mon père était pour la discrétion. Selon lui, le monde du spectacle n'était pas digne des Williams.

— Alors, votre mère a abandonné le piano?

— Elle n'avait pas vraiment le choix.

— Cela a dû être très dur pour elle.

— Elle s'est consolée en s'occupant de la Société des Amis de Haendel et Haydn.

— Ces activités-là étaient donc dignes des Williams?

— Oh, oui...

Jim soupira lourdement.

— Elle faisait un excellent travail. Même mon père était obligé d'en convenir. Mais je me demande ce qu'elle ressentait quand elle allait applaudir d'autres musiciens.

— Et vous, êtes-vous musicien?

— Oh, pas du tout. Bien que j'adore la musique classique.

— Grâce à votre mère?

Jim opina de la tête.

— La musique avait beaucoup d'importance dans sa vie. Je suis incapable de jouer quoi que ce soit au piano, mais je me rattrape en faisant des dons généreux à l'orchestre symphonique de la ville. Et vous?

— Oh, je ne demanderais pas mieux que de faire des dons généreux pour de bonnes causes, mais je ne pense pas que mon banquier soit d'accord!

Jim sourit.

— Non, je voulais parler de musique. Le talent de musicien s'étend-il à toute la famille Kendricks?

Il lui sembla que la jeune femme se raidissait un instant. Puis elle rit légèrement et déclara :

— Je suis une très bonne auditrice.

— Ça, je l'avais remarqué.

— Je dois beaucoup à Peter, dans ce domaine.

Jim hésita à poser une question. Puis il décida de prendre le risque.

— Peter se rend-il compte qu'il est différent ?

— Vous voulez dire... sait-il que les autres voient ?

— Oui.

— Peter le sait, répondit-elle doucement. Mais il ne comprend pas très bien ce que cela signifie. Il ne sait pas ce que c'est, de voir.

— En somme, comme il n'a pas eu cette expérience, ça ne lui manque pas ?

— Disons qu'il a une expérience du monde très particulière. Bien qu'il ne voie pas, il a un admirable sens de l'observation. Il n'a pas les mêmes préjugés que les autres.

— Il a de la chance...

Jim sentit un nœud se former dans sa gorge.

— Que voulez-vous dire, Jim ?

— Cet accident m'a aidé à me voir tel que je suis, Julia. Et cela n'est pas très agréable. Je me rends compte, à présent, que j'ai passé trente-six années à contempler le monde sans le voir réellement. J'étais aveugle bien avant d'avoir perdu la vue.

— Qu'en pensez-vous, Emerson ? questionna Julia, un brin anxieuse.

Vêtue de la longue robe de crêpe de laine noire qu'elle venait d'acheter, elle virevolta devant le maître d'hôtel. Le vieil homme la considéra quelques secondes et déclara :

— Simple... mais parfaite.

— Laissez-moi deviner... Je suis sûr qu'elle est noire.

C'était la voix de Jim. Julia sursauta et porta une main à ses lèvres. Elle était si préoccupée qu'elle n'avait pas entendu Jim descendre l'escalier.

Admirative, elle le regarda approcher. Quelle beauté,

quelle élégance! Grand, brun, séduisant... Jim avait tout pour lui. Julia avait vu d'innombrables photos de lui dans les magazines. Mais il était cent fois plus beau en réalité.

Manifestement, son smoking avait été taillé sur mesure. Son élégante sobriété mettait en valeur le corps mince et musclé de Jim. Celui-ci avait chaussé des lunettes noires qui ajoutaient encore du charme et du mystère à son personnage.

— C'est bien cela, n'est-ce pas? La robe de Julia est noire?

— Un fourreau noir extrêmement discret, précisa Emerson.

— Je vous avais averti que je n'aimais pas les couleurs voyantes! répliqua Julia en relevant crânement le menton.

— Et vous êtes dans le vrai, reprit Emerson. Il faut laisser les paillettes aux femmes qui veulent que l'on remarque leur robe... et non elles-mêmes.

Jim esquissa un sourire amusé.

— J'ignorais que vous étiez un philosophe de la mode féminine, Emerson.

— J'ai appris deux ou trois petites choses dans ma vie, monsieur Jim.

— Y compris la combinaison du coffre qui se trouve dans mon bureau?

Emerson fronça les sourcils, visiblement interloqué. Puis soudain, son visage s'éclaira et il sourit.

— Je pense que je pourrais me la rappeler, en effet.

— Parfait. Vous y trouverez un coffret à bijoux en velours...

— Je vois de quoi vous voulez parler. Je reviens dans une minute.

Le valet sortit rapidement.

— Jim, balbutia Julia, je ne crois pas...

— Mais si, mais si.

Julia le contempla en silence. Jim était de très bonne

humeur. En fait, son humeur était charmante depuis qu'elle avait accepté de l'accompagner au concert.

« Accepté », c'était beaucoup dire ! En réalité, elle avait l'impression d'avoir été victime d'une machination.

Le matin même, au petit déjeuner, Emerson avait fait remarquer que l'orchestre symphonique de Boston donnait un concert ce soir-là. Puis il avait ajouté, l'air de rien, que Jim devrait y assister.

Jim avait approuvé. En tant que membre bienfaiteur de l'orchestre symphonique, c'était pour lui une obligation. Pas question de s'y dérober. Mais il avait émis une condition : il fallait que Julia l'accompagne.

Avait suivi une discussion au sujet de sa garde-robe. Julia s'exclama qu'elle n'avait rien à se mettre et qu'elle ne pouvait en aucun cas assister à une soirée de gala.

— Allons, allons. Il me semble avoir déjà entendu ça..., avait fait observer Jim d'un ton malicieux.

Julia avait rougi jusqu'à la racine des cheveux. Il faisait allusion à l'invitation de Dennis, bien entendu. Mais elle avait persisté :

— Je suis venue ici pour travailler, Jim. Et non pour aller me pavaner dans des soirées de gala.

— Eh bien, allez vous acheter une robe. J'ai des comptes dans toutes les boutiques de la ville et...

— Non ! avait-elle protesté avec vivacité.

Jim s'était un peu crispé. Les sourcils froncés, il lui avait demandé :

— Comment ça, non ?

— Je ne veux pas que vous m'achetiez une robe. Personne ne peut...

... Julia entendit son nom prononcé à haute voix et elle redescendit sur terre.

— Oui, Jim ?

— Pourriez-vous me dire si ma tenue est correcte ? Grâce à Emerson, mon armoire à vêtements est dans un ordre impeccable, mais je crains toujours d'oublier de fermer un bouton, ou de me tromper de chaussettes. Imaginez le ridicule, si j'arrivais au concert avec des chaussettes rouges !

— Soyez sans crainte, vous êtes très élégant, répondit-elle en réajustant une mèche blonde échappée de son chignon.

— Même avec ces lunettes ?

Julia n'eut pas le temps de répondre. Emerson entra et tendit à Jim un coffret noir. Après avoir lutté deux ou trois secondes avec le système de fermeture, Jim parvint à ouvrir la petite boîte et la montra à Julia.

Celle-ci était bien décidée à refuser son offre, si flatteuse soit-elle. Mais quand elle découvrit le contenu du coffret, elle ne put retenir une exclamation admirative.

Couchés sur le satin ivoire, se trouvaient de splendides boucles d'oreilles en diamants, chacune agrémentée d'une ravissante perle baroque... Elle n'avait jamais rien vu d'aussi joli.

— Elles appartenaient à ma mère, dit doucement Jim. J'aimerais que vous les portiez ce soir.

Julia coula un regard en direction d'Emerson. Celui-ci contemplait fixement les boucles. Son visage exprimait une peine infinie. Talley O'Hara Emerson... Se pouvait-il que Margaret et lui aient été... Brusquement, il prit conscience du regard de Julia posé sur lui. Aussitôt, ses traits se figèrent et il retrouva son impassibilité habituelle.

— Je... je ne peux pas, murmura Julia, excessivement troublée.

— Elles vous iront à la perfection, déclara Jim avec insistance.

— Certainement, mais... ces boucles...

— Depuis la mort de ma mère, elles n'avaient jamais été sorties de leur écrin. Je suis sûr qu'elle serait enchantée de les voir portées par une si jolie jeune femme ce soir. Car vous êtes jolie, Julia, tout le monde le dit...

Julia sentit fléchir sa volonté. Comment résister à une

pareille beauté ? La tentation de porter ces somptueux bijoux était trop forte !

— Et si... je les perds ? protesta-t-elle encore.

— Ne pensez pas au pire.

— Mais...

— Je vous en prie, Julia, acceptez.

— Très... très bien.

Les doigts tremblants, elle sortit les boucles de leur écrin de satin. Tandis qu'elle les fixait à ses oreilles, Jim rendit le coffret vide à Emerson. Du coin de l'œil, elle aperçut son reflet dans un miroir du salon. Et elle eut l'impression de se trouver face à une inconnue.

Son regard se posa sur Emerson.

— Sont-elles...

— Parfaites, Julia, dit-il simplement.

8.

Le concert fut magnifique.

Julia avait déjà entendu l'Orchestre symphonique de Boston, mais uniquement à travers les enregistrements que Peter possédait. Aussi, une soirée au Symphony Hall était-elle pour elle une expérience tout à fait nouvelle.

La virtuose invitée ce soir-là était une violoniste japonaise, aussi menue et ravissante qu'une poupée. Quand elle apparut sur scène, Julia pensa qu'elle n'avait certainement pas seize ans, comme le prétendait le programme, mais tout au plus treize ou quatorze. Et dès qu'elle commença à jouer, son éclatant talent enchanta la salle.

Fascinée, Julia se laissa flotter au gré de la musique, emportée par les accords du violon dans un monde irréel et magique. Puis les lumières se rallumèrent pour l'entracte. Soudain propulsée dans la réalité, Julia se tourna vers Jim, impatiente d'échanger ses impressions avec lui.

Jim se trouvait à sa droite. Tête baissée, il avait posé les mains sur ses genoux. Il se tenait immobile.

— Jim? Jim, comment vous sentez-vous?

Il leva brusquement la tête et sourit.

— Désolé. Mais... c'est si difficile de s'arracher à cette merveille pour retrouver... tout ça...

D'un geste, il désigna la salle, la foule qui se bousculait près du corridor.

— ... Ce monde imparfait dans lequel je vis. Et dont je ne vois même plus les beautés.

Julia sourit.

— Je sais. On croit avoir atteint le paradis et puis...

— Excusez-nous, nous aimerions passer.

Cette remarque impatiente venait d'une femme d'âge mûr, somptueusement vêtue d'une robe de satin d'un bleu moiré. Un homme corpulent, en smoking blanc, l'accompagnait.

— Oh, bien sûr ! s'exclama Julia en se levant pour leur laisser le passage. Jim...

Mais son compagnon s'était déjà levé et se dirigeait vers l'allée latérale. Julia hésita une fraction de seconde, puis le suivit.

— Jim ? s'écria l'inconnue à la robe bleue. Jim Williams ?

La voix un peu perchée résonna dans la salle. Julia aperçut une fugitive expression de dégoût sur le visage de Jim. Mais en une seconde, il eut recouvré son masque d'indifférence polie.

— Regarde, Hilly ! s'exclama la femme en se tournant vers son compagnon. C'est Jim Williams !

Les deux hommes se saluèrent et se serrèrent la main. Puis Jim leur présenta Julia. Les Hitchens — Cecilia et Hilliard Hitchens — se contentèrent de lui adresser un signe de tête hautain.

— Quelle surprise ! poursuivit Cecilia de sa voix de tête. Nous ne nous attendions pas à vous rencontrer ce soir. Dire que nous étions assis à côté de vous et que nous ne vous avons même pas vu...

Elle s'interrompit en rougissant violemment.

— Oh ! Oh, je suis désolée. Je ne voulais pas...

— C'est sans importance, répliqua Jim, sans se défaire de sa courtoisie. Moi non plus, je ne vous avais pas vus.

Cecilia eut un mouvement de recul, comme si elle

venait d'être giflée à toute volée. Puis elle émit un petit rire forcé et Hilly crut bon de l'imiter, tout en échangeant avec elle un regard embarrassé.

— Très amusant, mon cher Jim.

Puis se penchant vers lui, elle haussa de nouveau la voix et énonça en détachant les syllabes :

— J'ai été bouleversée en apprenant ce qui vous était arrivé, Jim. Comment allez-vous ?

Jim lui adressa un sourire éblouissant.

— Eh bien, je ne suis pas sourd, ma chère. Du moins, pas encore.

Abasourdie, Cecilia recula d'un pas.

— Bien sûr, que vous n'êtes pas sourd, voyons ! Je n'ai jamais pensé...

Hilly vint à son secours :

— Cecilia, ma chère, je pense que nous devrions y aller. Libby et Albert nous attendent au foyer. Et j'imagine que Jim et Mlle... euh... Mlle Kendricks désirent aller prendre un verre avant la fin de l'entracte.

Cecilia eut un geste de la main.

— Oh... Oh, bien sûr. Eh bien, au revoir, Jim.

Hilliard Hitchens saisit fermement le bras de sa femme et l'entraîna dans l'allée.

— A bientôt ! lança-t-elle par-dessus son épaule, en agitant ses doigts boudinés.

— J'espère que non, marmonna Jim.

— Jim ! s'exclama Julia en riant.

— Pas d'hypocrisie, fit-il observer en lui prenant le bras.

Elle sentit alors la chaleur de ses doigts à travers l'étoffe et un trouble infini l'envahit.

— Aimeriez-vous prendre un verre ?

— En fait, répondit-elle, le souffle court, je pense que deux ou trois seront nécessaires pour oublier les Hitchens !

Ils rencontrèrent plusieurs autres connaissances de Jim

avant d'atteindre le bar. Dans l'ensemble, songea Julia, Jim maîtrisait beaucoup mieux la situation que la plupart de ses soi-disant amis.

— Il me semble que les gens ne sont pas très à l'aise en ma présence, remarqua-t-il en avalant une gorgée de champagne. D'après vous, est-ce la faute des lunettes, ou de la canne?

— J'ai le sentiment que cette impression n'est pas nouvelle pour vous, Jim, suggéra Julia, d'un ton malicieux.

En quelques minutes, elle venait de découvrir un aspect de la personnalité de Jim qu'elle ignorait encore : il avait l'art d'écraser son entourage. Deux ou trois mots, prononcés d'une voix autoritaire, suffisaient à intimider la plupart de ses interlocuteurs. En était-il conscient?

Les souvenirs de Julia remontèrent dix ans en arrière. Elle entendit de nouveau la voix grave de Jim lui affirmer que tout allait bien, qu'elle n'avait plus rien à craindre. Un homme qui avait l'habitude de parler et d'être obéi, avait-elle songé à l'époque.

— Vous marquez encore un point, rétorqua Jim avec un demi-sourire. Disons que ce soir, les gens me paraissent encore moins à l'aise que d'habitude en ma présence.

— Presque tous les gens qui n'ont pas de handicap ont du mal à communiquer avec ceux qui en ont un, expliqua Julia. Ils sont mal à l'aise, ils se sentent coupables, ils craignent de paraître insensibles ou trop compatissants.

Jim hocha la tête.

— Il n'y a pas que cela, Julia. Je ressens un... un...

Incapable d'exprimer exactement sa pensée, il esquissa un geste d'impatience.

Julia soupira. Elle redoutait depuis longtemps cette conversation, mais celle-ci était inévitable. Elle avait suivi de nombreux cours sur les diverses réactions de la société vis-à-vis des aveugles. Ou à vrai dire, de toutes les personnes présentant un handicap quelconque. Cela l'avait amenée à reconsidérer sa propre attitude face aux personnes qu'elle aidait.

— Les réactions que vous suscitez sont parfaitement courantes, reprit-elle. Les gens sont soulagés de ne pas avoir été touchés par le même malheur que vous mais, en même temps, cette pensée les culpabilise. Cela les rend maladroits, nerveux, voire irritables. De plus, ils n'aiment pas côtoyer le malheur, comme s'ils craignaient que celui-ci ne les atteigne.

— En somme, ils pensent qu'une infirmité peut être contagieuse ?

— C'est à peu près ça, oui.

Pensif, Jim avala une autre gorgée de champagne.

— Mon père était un grand admirateur de Darwin et de sa théorie sur l'évolution des espèces. La sélection naturelle lui paraissait une excellente chose. Il ne tolérait pas la faiblesse.

— J'ai l'impression que votre père ne tolérait pas grand-chose.

Julia se mordit les lèvres. N'était-elle pas allée un peu trop loin ? se demanda-t-elle avec un brin d'inquiétude. Mais le rire sonore de Jim la rassura.

— C'est vrai ! Je me demande ce qu'il aurait pensé de la virtuose que nous avons écoutée ce soir.

— Probablement qu'elle est un pur génie, répliqua Julia, saisissant cette opportunité de faire dévier la conversation sur un terrain moins délicat.

— Elle est formidable, n'est-ce pas ? La façon dont elle a interprété ce concerto...

Il fit une pause, comme pour mieux se remémorer ces instants.

— J'avais l'impression de l'entendre pour la première fois.

— Je ne peux croire qu'elle n'ait que seize ans !

— Elle a un tel talent que son âge ne compte pas.

Julia songea que Jim venait d'exprimer exactement ses propres pensées, ses propres sentiments. C'était incroyable ! Elle était sur le point de le lui dire, mais elle en fut empêchée par l'arrivée d'une superbe femme, à la chevelure d'un roux flamboyant.

— Jim ! Mon chéri ! s'exclama-t-elle en déposant un baiser sur la joue de Jim.

Julia n'avait jamais rencontré cette femme, mais elle avait souvent vu sa photo. Si ses souvenirs étaient bons, il s'agissait de Stéphanie Talcott, héritière unique d'un couple richissime, qu'un mariage éclair avec un milliardaire avait encore considérablement enrichie.

— Bonjour, Stéphanie, répondit Jim d'un ton aimable.

Une courte conversation suivit. Jim semblait faire preuve de la plus grande indulgence pour le caractère impétueux de la jeune femme. Et Julia devina sans peine que Mme Talcott savait s'y prendre avec les hommes.

— Je t'ai téléphoné de Rome, pendant que tu étais à l'hôpital, tu sais ! disait-elle. Mais le standard a refusé de te passer la communication. A mon retour, la semaine dernière, j'ai fait un saut chez toi pour te souhaiter une bonne année. Seulement, cette fois, Emerson m'a dit qu'on ne pouvait pas te déranger.

Ses yeux vert émeraude se posèrent alors sur Julia. Celle-ci soutint sans broncher ce regard scrutateur. Toutefois, elle eut du mal à réprimer un sourire, quand elle vit les yeux de Stéphanie Talcott s'arrêter sur les boucles en diamants de Margaret Williams. La jolie rousse ignorait probablement d'où provenaient ces bijoux, mais elle n'avait aucun doute sur leur valeur.

— J'apprécie ta sollicitude, déclara Jim. Ne te vexe pas, depuis mon accident, je suis aveugle, et aussi... invisible.

Stéphanie tressaillit et tourna vers lui un visage indigné.

— Comment peux-tu faire ce genre de plaisanterie, Jim ?

Elle sembla soudain remarquer ses lunettes noires et recula, déconcertée.

— Ces lunettes... tu n'as pas été... défiguré, n'est-ce pas ?

— Pas de traces visibles, rassure-toi. J'aimerais te présenter quelqu'un qui m'a beaucoup aidé ces dernières semaines. Voici Julia Kendricks. Julia, je vous présente Stéphanie Talcott.

— Enchantée de faire votre connaissance, madame Talcott, dit Julia.

— Madame Kendricks, répondit Stéphanie, les lèvres serrées.

Son regard tomba alors sur la main de Jim, posée sur le bras de Julia.

— Qui... êtes-vous au juste ? demanda-t-elle en levant la tête. Une sorte de chien d'aveugle ?

— Oh, sûrement pas un chien, ma chérie !

Cette remarque, formulée d'une voix traînante, venait d'être adressée à Stéphanie par un bel homme au physique de jeune premier, qui surgit derrière elle. Il sourit à Julia.

— Cutter, te voilà ! Je me demandais où tu étais passé ! s'exclama Stéphanie en faisant virevolter ses boucles rousses.

— Oh, réellement, Steffie ? Il suffisait de regarder par-dessus ton épaule. Je suis resté à l'endroit même où tu m'as abandonné quand tu as aperçu Jim.

— Bonjour, Cutter ! Toujours aussi habile à vous faire des ennemis ? lança Jim avec un sourire amusé.

— Oh, absolument. C'est mon activité préférée.

Puis, soudain grave, il ajouta :

— Désolé pour votre accident, Jim. Je sais que j'aurais dû vous contacter mais, très franchement, je ne savais pas quoi vous dire.

Stéphanie ébaucha une moue narquoise.

— Vraiment inhabituel de ta part, mon chéri.

— Très inhabituel, acquiesça Cutter d'une voix neutre. Puis il se tourna vers Julia et lui tendit la main :

— Cutter Dane. Chevalier servant de Steffie, quand celle-ci n'a personne d'autre sous la main. Sa mère fut la première femme de mon deuxième beau-père. A moins que ce ne soit sa belle-mère, qui fut la seconde femme de mon père ? J'ai oublié. Quoi qu'il en soit, je suis un homme très présentable. Et aussi incroyable que ça puisse paraître, je suis un camarade d'université de Jim.

— Mon nom est Julia Kendricks.

— Dites-moi, mademoiselle... euh, c'est bien mademoiselle, n'est-ce pas ? Que faites-vous au juste avec — ou bien devrais-je dire « pour »— cet insupportable Jim ?

— Julia est la jolie blonde qui me guide dans ma vie quotidienne, répondit Jim, sans laisser à la jeune femme le temps d'articuler un mot.

— Et sais-tu à quoi elle ressemble ? s'enquit Stéphanie.

Julia sentit alors les doigts de Jim serrer son bras. Elle le regarda et vit son propre reflet dans les verres de ses lunettes teintées. Une fois de plus, elle eut l'impression troublante de regarder une inconnue.

Jim lui sourit. Un sourire sensuel qui lui fit tourner la tête.

— Jim ? insista Stéphanie.

— Disons que l'image que j'ai de Julia Kendricks devient de plus en plus claire au fil des jours, répliqua Jim.

La question était délicate et Julia en était bien consciente. Mais ce qui était pire, c'était de ne pas savoir.

— Jim ?

— Oui ?

Ils se tenaient debout dans le salon, devant la cheminée.

— Que vouliez-vous dire, tout à l'heure ?

Cette question l'avait tracassée toute la soirée, après que Jim eut fait cette déclaration extraordinaire sur « l'image » qu'il avait d'elle.

Les lunettes noires de Jim dissimulaient l'expression de ses yeux. Quand se déciderait-il à les enlever ? songea Julia.

— Expliquez-vous, Julia.

— Vous avez dit à Stéphanie Talcott que l'image que vous avez de moi est de plus en plus claire.

— Ah, ça...

Julia leva le visage vers lui, son regard se posa sur sa bouche ferme et sensuelle. Aussitôt, elle sentit son cœur battre la chamade.

Mais Jim ne prononça pas un mot. Son visage demeura fixe, inexpressif.

— Répondez-moi, Jim.

— Que pensez-vous de Stéphanie ? lança-t-il alors.

Cette question inattendue désarçonna Julia.

— Eh bien... elle est très belle, murmura-t-elle au bout de quelques secondes.

Ce n'était pas tout ce qu'elle pensait de la jeune femme, mais elle ne tenait pas à confier son sentiment à Jim.

Jim se contenta d'un petit signe de tête entendu.

— Stéphanie se comporte comme si elle était le centre du monde, déclara-t-il ensuite. Elle est d'ailleurs souvent la plus belle femme de l'assistance.

— Ah ?

— Oui... Aussi a-t-elle tendance à devenir désagréable quand elle a de la concurrence.

Jim esquissa une moue ironique. Il fallut un temps à Julia pour saisir pleinement le sens de ses paroles.

Stéphanie Talcott s'était montrée assez désagréable.

Donc... elle considérait que Julia lui faisait de la concurrence.

Et si une femme aussi belle que Stéphanie Talcott manifestait de la jalousie envers Julia, Jim en déduisait que...

L'image que j'ai de Julia Kendricks devient de plus en plus claire...

Julia faillit parler ; se ravisa aussitôt. Il fallait pourtant qu'elle dise quelque chose ! Mais... elle fut incapable d'articuler le moindre mot.

Jim lui caressa doucement la joue.

— Vous rougissez, fit-il remarquer.

— Co... comment... ?

— Je sens la chaleur de vos joues.

Les doigts de Jim effleurèrent les boucles d'oreilles, puis glissèrent imperceptiblement dans le cou de Julia.

Elle fut parcourue d'un frisson délicieux et une vague de chaleur se répandit dans son corps.

— Votre cœur bat très fort, murmura-t-il d'une voix chaude.

Cette remarque ne fit qu'accentuer son trouble.

— Jim. Je... vous en prie...

— Oui, Julia ? Que voulez-vous dire ?

— Je... je ne sais pas.

La main virile de Jim s'aventura sur sa nuque.

— Vous savez que j'ai envie de vous embrasser, n'est-ce pas ? chuchota-t-il, les lèvres contre ses cheveux blonds.

Julia sentit la tête lui tourner, sa vue se brouiller. Bien sûr, qu'elle le savait. Elle savait ce que les hommes voulaient... Elle n'était plus ignorante... plus innocente...

— Julia ?

Elle battit des paupières. Puis tout sembla s'éclaircir autour d'elle et elle le vit... réellement.

Lui.

Ce n'était pas un homme comme les autres. Il était unique, différent.

Cet homme nommé Jim Archer Williams ne ressemblait à aucun autre...

Brusquement, elle saisit son propre reflet dans les lunettes sombres.

Julia Kendricks. Depuis des années, elle tentait de se définir par rapport à ce qu'elle n'était pas, à ce qu'elle ne voulait plus être. Mais qui était-elle, en réalité ?

— Julia ? répéta Jim. Qu'avez-vous ?

— Rien.

La jeune femme inspira violemment, incapable d'exprimer ce qu'elle ressentait. Puis, sur une impulsion, elle dit :

— Enlevez vos lunettes, Jim.

— Julia...

— Je sais, murmura-t-elle en posant un doigt sur ses lèvres viriles.

Elle le sentit frissonner à son contact.

— Je ne veux pas voir mon reflet quand vous... quand...

Jim saisit ses lunettes, les jeta négligemment à terre.

Puis Julia se retrouva blottie entre ses bras.

— Tu aurais pu fermer les yeux, chuchota-t-il contre ses lèvres.

Elle noua les bras autour de son cou.

— Non. J'ai besoin de te voir. J'ai... besoin...

— Je sais...

Non, il ne savait pas. Il ne pouvait pas savoir, car il ne connaissait pas la vérité sur Julia Kendricks. Mais leurs lèvres s'unirent et tout s'effaça. Le monde bascula, ils sombrèrent dans un océan de tendresse.

Leurs corps se pressèrent l'un contre l'autre, comme s'ils étaient destinés à s'étreindre depuis toujours. Emportés par une vague de sensualité, ils oublièrent le monde qui les entourait.

Le désir de Jim n'effrayait pas Julia. Tout au contraire. Une flamme dévorante, impérieuse, s'allumait au centre même de son corps. Son propre désir s'éveillait. Un désir qu'elle n'avait jamais éprouvé. Elle ignorait, jusque-là, qu'une sensation aussi forte pouvait un jour s'emparer d'elle et l'embraser comme une torche.

— Oh, Jim... Jim..., murmura-t-elle.

Puis, soudain, la magie se brisa...

— Assez, dit Jim d'une voix sourde, avant de la repousser.

— Jim...

— Assez, répéta-t-il. Il faut arrêter.

Abasourdie, elle le contempla sans comprendre. Que s'était-il passé, quelle sombre pensée lui était passée par la tête? Ses joues étaient enflammées, ses mâchoires serrées, ses traits durs.

Elle tendit la main vers lui, mais il était si crispé qu'elle n'osa pas le toucher.

— Pourquoi? parvint-elle à demander d'une pauvre voix étranglée.

— Parce que je ne te vois pas.

— Et alors...?

— Je suis aveugle, Julia! Et je le resterai peut-être jusqu'à la fin de mes jours!

Julia secoua la tête, désespérée. Jim croyait-il qu'elle... oh, non! Non!

— Jim... cela n'a aucune importance pour moi...

Une grimace douloureuse déforma un instant le beau visage de Jim, puis il recouvra son impassibilité.

— Je sais, répondit-il d'un ton sec. Mais ça en a pour moi.

— Jim...

Il l'interrompit d'un geste. Ses yeux fixèrent un point mystérieux, loin derrière elle.

— Accepte la situation, Julia. Comme j'essaie moi-même de l'accepter.

Accepter, songea Julia, plusieurs heures plus tard, quand elle se retrouva dans la solitude de sa chambre.

Accepter.

Il le fallait bien. Il n'y avait pas d'autre solution...

puisqu'elle était amoureuse, follement amoureuse, de Jim.

Mais c'était aussi parce qu'elle l'aimait, qu'elle ne pouvait pas s'y résoudre.

9.

Julia avait décidé de rester.

Après ce qui s'était passé, Jim considérait cela comme un véritable miracle. Il aurait compris qu'elle fasse ses bagages et quitte aussitôt la maison de Commonwealth Avenue. Mais elle était restée...

Il était incapable d'exprimer par des mots les sentiments que cette découverte faisait naître en lui.

Pendant plusieurs heures, après leur baiser, il considéra la perspective de son départ. Tournant et retournant dans son lit, il imagina mille scénarios différents, mais tous se terminaient sur le départ de Julia. Quand il s'endormit enfin, les scénarios se poursuivirent dans ses rêves : il ne voyait pas Julia; il se voyait, lui, en train de la regarder partir; il se voyait se lançant à sa poursuite, dans un vain effort pour la retenir...

Jim sortit enfin de son sommeil agité pour se retrouver confronté à l'obscurité. Il lutta contre l'envie d'appeler Julia. Si elle était déjà partie, cela ne servirait à rien. Si elle s'apprêtait à quitter la maison, rien ne la ferait revenir sur sa décision.

A moins que...

Des excuses...

Jim se leva et se dirigea à tâtons vers la salle de bains. Devait-il dire à Julia qu'il était désolé pour ce qui s'était passé... ou plutôt ne s'était pas passé, la veille?

Non, décida-t-il, avant de se glisser sous la douche. Il ouvrit le robinet et se laissa asperger par un puissant jet d'eau froide. En fait, il ne se sentait pas désolé. S'il lui mentait, Julia s'en apercevrait sur-le-champ et elle le mépriserait.

Mais ne le méprisait-elle pas, d'ores et déjà ?

Jim saisit une large serviette-éponge et frotta vigoureusement son corps trempé. Donc, c'était décidé, pas d'excuses. Une explication, peut-être ?

Pourquoi pas ? songea-t-il en jetant la serviette sur une chaise. L'ennui, c'est qu'il ne parvenait même pas à s'expliquer ses propres réactions. Dans ce cas, comment les expliquer à quelqu'un d'autre ?

Emerson avait préparé un pantalon de velours et un pull-over en shetland dans le dressing. Jim hésita, puis les reposa à leur place. Il lui fallait une autre tenue, quelque chose de plus formel, se dit-il en fouillant dans l'armoire.

Il avait envie de sortir. Avec ou sans Julia. Pour être précis, il avait envie de se rendre au bureau. C'était vendredi et, tous les vendredis, les cadres de Williams Venture se réunissaient pour faire le point. En principe, il aurait dû diriger la réunion depuis son bureau, par un système de conférence téléphonique — c'est ce qu'il faisait depuis son retour de l'hôpital. Mais ce matin, il avait envie d'envoyer au diable le téléphone. Ce qu'il voulait, c'était s'occuper de ses affaires en personne !

Son armoire était parfaitement rangée et il trouva rapidement ce qu'il lui fallait : un costume anthracite, une chemise blanche et une cravate bordeaux. Julia avait marqué tout son linge d'étiquettes spéciales, afin qu'il puisse reconnaître sans peine ce dont il avait besoin.

Il enfila à la hâte chemise et pantalon. Mais soudain, posant la main sur l'une des marques en braille apposées par Julia, il se figea.

Pendant des semaines, il avait ressenti la présence de Julia comme une humiliation, il lui en voulait parce qu'il était obligé de s'en remettre à elle en tout et pour tout. C'était une grossière erreur de sa part. Julia ne voulait pas qu'il dépende d'elle. Tous ses gestes, toutes ses actions visaient au contraire à lui donner une plus grande autonomie.

Son intention n'était pas d'élire domicile chez lui. Non, en fait, elle préparait le terrain pour lui... pour qu'il puisse se débrouiller seul une fois qu'elle serait... partie.

Et alors ? De quoi se plaignait-il, soudain... ? Etre autonome, indépendant, c'était ce qu'il voulait, n'est-ce pas ?

C'était bien ainsi qu'il envisageait la suite des événements ?

Jim n'en savait plus rien. Depuis la veille au soir, il ne savait plus.

Tout ce qu'il savait, c'est qu'il la désirait. Et pas seulement son corps... Il désirait Julia tout entière. Il éprouvait pour elle un désir fou.

Voilà pourquoi il avait hésité à aller plus loin. Pourquoi il l'avait repoussée. Il avait voulu se prouver qu'il en était capable, qu'il n'était pas dominé par le désir.

Jim avait besoin de maîtriser toutes les situations. Sa cécité ne le privait pas seulement de la vue, mais aussi de son indépendance, de sa virilité.

Pourtant, cette infirmité, tout en le diminuant considérablement, lui avait aussi permis de rencontrer Julia... Etrange paradoxe...

Une idée le frappa brusquement. Quelle serait la place de Julia dans sa vie, quand il aurait recouvré la vue ? Impossible de répondre à cette question. Et quelle serait sa place, à *lui*, dans la vie de Julia ? Pas de réponse non plus. Et si... Et s'il ne récupérait jamais ses facultés ? S'il restait aveugle toute sa vie ? Demanderait-il à Julia de rester auprès de lui, de devenir sa compagne ?

Non. Jamais. Il aurait trop peur que sa décision ne soit dictée par la pitié. Cette pensée le rendrait fou.

Jim finit de s'habiller, les doigts tremblants. Puis il

alla chercher sa canne dans la chambre. Parvenu au milieu de la pièce, il s'immobilisa brusquement. Où se trouvait cette maudite canne ? Il n'en avait pas la moindre idée. C'est à peine s'il se rappelait l'avoir lancée rageusement à travers la chambre, la veille au soir, au lieu de la déposer à sa place, près du lit.

Après avoir perdu de longues minutes à chercher ce précieux instrument à tâtons, il finit par le découvrir derrière la porte. La main crispée sur le pommeau, il descendit enfin.

Il venait tout juste d'atteindre le rez-de-chaussée, lorsqu'il entendit la voix de Julia résonner dans la salle à manger. Deux secondes plus tard, Emerson lui répondit, mais Jim ne parvint pas à saisir ses paroles.

Et soudain, il fut saisi d'un vertige. Il agrippa la rampe de chêne, s'y cramponna comme à une bouée de secours. Il y eut un éclair très vif, éblouissant. Puis une nuée d'étincelles. Au secours... De la lumière, il voulait voir la lumière. Sortir de cette terrifiante obscurité. Il ouvrit les yeux, cherchant désespérément la lueur du jour.

Mais la nuit se referma sur lui. Tout redevint obscur.

Au bout d'un très long moment, il s'obligea à lâcher la rampe. Ses genoux tremblaient et la tête lui tournait. Son cœur battait vite, encore sous le coup de la panique. Mais, ignorant superbement ces signes de faiblesse, il fit un effort pour se redresser. Et balançant sa canne devant lui, il se dirigea vers la salle à manger.

Devant la porte, il marqua une pause.

— Bonjour, lança-t-il enfin.

Un silence. Puis, la voix d'Emerson :

— Bonjour, Jim. Asseyez-vous, je vous sers votre café dans une minute.

Jim obéit, tout en écoutant attentivement les allées et venues du valet. Un moment après, il entendit la porte de l'office s'ouvrir, puis se refermer derrière Emerson.

Alors le parfum fleuri de Julia l'enveloppa. La veille,

en l'embrassant, il s'était enivré de ce parfum frais et sensuel. Le désir de Julia était aussi vif que le sien, songea-t-il en se rappelant l'étreinte passionnée de la jeune femme. S'il ne l'avait pas repoussée, si...

Assez!

— Y a-t-il longtemps que vous êtes levée? demanda-t-il d'un ton détaché.

— Un moment.

— Avez-vous mal dormi?

Un objet — une fourchette ou une cuillère? — tomba bruyamment sur la table.

— Non, pas vraiment, répliqua Julia.

— Ah? Je n'en dirai pas autant.

— Vous avez donc passé une mauvaise nuit?

— Cela vous étonne?

La jeune femme demeura un moment silencieuse. Puis, à voix basse :

— Jim, je vous en prie. Je ne...

La porte s'ouvrit et Emerson reparut.

— Votre café, Jim. Les œufs et les toasts seront prêts dans un instant.

Jim eut une moue contrariée. Les œufs et les toasts ne l'intéressaient pas le moins du monde. Julia était sur le point de lui dire quelque chose et Emerson l'avait interrompue. Saurait-il jamais ce qu'elle s'apprêtait à lui révéler?

L'arrivée du maître d'hôtel lui avait permis de se ressaisir, de regagner un peu d'assurance et elle ne paraissait plus décidée à parler.

Emerson agissait-il ainsi à dessein? se demanda Jim, soupçonneux. Toutes ces allées et venues, cette agitation autour de lui, avaient-elles pour but de ne pas le laisser une minute en tête à tête avec Julia? Peut-être même le valet écoutait-il leur conversation, derrière la porte?

Il se remémora le lendemain de la soirée que Julia avait passée avec Dennis. A l'époque, il était si furieux qu'il n'avait pas vu clair dans le manège d'Emerson. Mais à y repenser, il était évident que Talley O'Hara Emerson leur avait joué une petite comédie, ce jour-là. Il avait tiré des ficelles, les manipulant avec autant d'habileté que si Julia et lui n'avaient été que des marionnettes !

Enfin, non... pas tout à fait. Julia ne s'était pas laissé prendre à ce jeu. La preuve : elle était bouleversée lorsqu'elle avait quitté la table pour rejoindre Emerson à l'office.

De quoi avaient-ils bien pu parler, pendant ces quinze longues minutes ? Mystère...

— Avez-vous l'intention de sortir ? s'enquit Emerson, tout en s'affairant autour de lui.

— Oui.

— Où allez-vous ?

C'était la voix de Julia, cette fois. Un peu crispée, anxieuse, remarqua-t-il.

— A mon bureau. Et je désire que vous m'accompagniez.

« Tu as atteint ton but », se dit Julia en regardant les collaborateurs de Jim se lever et rassembler leurs documents.

« Tu voulais aider Jim à vivre comme avant et tu y es parvenue. Regarde-le ! »

En fait, elle ne le quittait pas des yeux depuis le début de la réunion. Quand Jim lui avait demandé de l'accompagner, elle s'était préparée à jouer le rôle de guide. De « chien d'aveugle », pour employer l'expression de Stéphanie Talcott. Rien de plus. Elle ne s'attendait certainement pas à être assise à sa droite, à la table du conseil d'administration !

La première demi-heure avait été extrêmement pénible. Julia pensa d'abord que le handicap de Jim mettait ses collaborateurs mal à l'aise. Plusieurs d'entre eux se mirent à bafouiller au beau milieu d'une phrase, simplement parce que les mots : « comme vous le voyez », ou bien : « de mon point de vue... » leur avaient échappé.

La réalité était très simple. En fait, les employés de Jim avaient peur de lui. A l'exception peut-être de sa secrétaire, une femme d'âge mûr, nommée Nancy Hansen. Celle-ci faisait preuve d'une impassibilité, voire d'une indifférence, étonnantes.

Quant aux autres, ils étaient tenaillés par la peur. C'était une émotion que Julia connaissait trop bien pour ne pas la déceler chez les autres.

Quand Jim s'était installé à sa place, il était très détendu. Puis, peu à peu, Julia avait observé un changement. Une tension s'était emparée de lui. Ses doigts s'étaient crispés, ses lèvres serrées.

La jeune femme avait deviné ce qui se passait en lui. En fait, il écoutait. Il écoutait ses collaborateurs comme il ne l'avait sans doute jamais fait auparavant. Et ce qu'il entendait ne lui plaisait pas.

La tension fut à son comble, lorsqu'une de ses assistantes, une jolie métisse vêtue avec élégance, se lança dans son exposé.

— Voici l'analyse du marché, telle qu'elle est effectuée d'ordinaire, conclut-elle au bout de quelques minutes. Mais si vous considérez les faits d'un autre point de vue...

La jeune femme s'interrompit et la consternation se peignit sur son visage.

— Oh, Jim... je suis désolée.

— Pourquoi, Eva? Je suis impatient d'entendre ton point de vue, je suis sûr qu'il sera très intéressant.

Eva darda sur son patron un regard sidéré. Il y eut dix bonnes secondes de silence, puis elle sourit et hocha la tête.

Jim desserra légèrement le nœud de sa cravate, et Julia eut l'impression curieuse que tout le monde dans la salle l'imitait... hormis l'imperturbable Mme Hansen.

— Vas-y, Eva, je t'écoute, lança Jim.

⁂

Après cela, les assistants de Jim parvinrent enfin à se détendre et à parler sans buter sans cesse sur les mots « voir » ou « regarder ».

— Merci, Jerry, dit Jim à un grand barbu qui venait juste de terminer son exposé sur le nouveau code fédéral des impôts.

Quarante minutes s'étaient écoulées depuis l'intervention de Eva. Du coin de l'œil, Julia vit Jim consulter la montre qu'elle lui avait donnée. L'aisance avec laquelle il accomplit ce geste l'emplit de joie. Mais tout au fond de son cœur, la tristesse se mêla à la satisfaction. Au fil des jours, Jim avait de moins en moins besoin d'elle. Bientôt, elle lui serait inutile, elle n'aurait plus rien à lui offrir.

Excepté l'amour. Un amour infini, absolu. Mais Julia Kendricks avait un lourd passé... ce n'était pas la femme qui convenait à Jim.

Si elle lui avait dit la vérité dès le début, alors peut-être...

— Je pense que nous avons fait le tour des problèmes, déclara Jim. Mais avant d'en terminer tout à fait, je voudrais savoir si Todd Reilly est ici. C'est lui qui est chargé du dossier Madison.

L'atmosphère changea aussitôt. Il y eut des regards embarrassés et pour la première fois depuis le début de la réunion, Mme Hansen elle-même parut nettement mal à l'aise.

— Todd se trouve-t-il dans cette salle ? répéta Jim avec une nuance d'impatience.

A cet instant précis, la porte s'ouvrit à la volée et un homme entra. Son visage était défait, son costume froissé. Il portait à bout de bras une lourde serviette, dans laquelle il avait fourré plusieurs dossiers.

Un silence plombé s'abattit sur l'assistance. Chacun considérait le nouveau venu avec stupeur.

— Todd? s'enquit Jim.

— O... oui, c'est moi.

L'homme posa ses dossiers sur la table. Son visage était d'une pâleur de cire et des cernes mauves soulignaient ses yeux.

— Désolé d'être en retard, Jim. Mais je suis content de te voir... oh...

Sa voix se brisa.

— Je... je ne voulais pas...

D'un geste de la main, Jim balaya ses excuses. De toute évidence, il avait saisi que quelque chose n'allait pas. Mais Julia comprit qu'il ne savait comment réagir.

— Nous pouvons reporter ton intervention, Todd, déclara-t-il lentement. Ton dernier rapport était...

— Non ! Tout est prêt, Jim. Je t'assure. Le dossier est complet.

Le silence qui suivit se prolongea plusieurs secondes. La tension devenait insupportable. Enfin, Jim lança :

— Comme tu voudras, Todd. C'est à toi.

Todd fit un effort visible pour reprendre son sang-froid, puis se lança dans un exposé long et compliqué sur les investissements de Williams Venture.

Lorsqu'il eut terminé, Jim lui demanda s'il était satisfait de la collaboration avec une société dont il cita le nom.

Todd répondit d'un bref signe de tête.

— Todd? insista Jim.

L'homme leva les yeux, surpris. Il lui fallut deux ou trois secondes pour comprendre que Jim n'avait pu saisir sa réponse. Ses joues pâles s'empourprèrent.

— Euh... désolé, Jim. J'avais oublié que... euh...

— Je sais. J'ai moi-même l'impression de l'oublier parfois. Mais chaque matin, quand j'ouvre les yeux, je suis ramené à la dure réalité. Quoi qu'il en soit, même un aveugle peut se rendre compte que tu as fait un travail remarquable. Il n'y a plus qu'à boucler ce dossier rapidement.

— Ah... D'accord, répondit Todd d'une voix faible.

Il y eut un murmure d'approbation dans la salle, puis Jim demanda :

— Y a-t-il autre chose à dire ?

Personne n'éleva la voix.

— Très bien. Dans ce cas, au travail. Todd, peux-tu rester encore une minute ?

Tout le monde se leva et se dirigea vers la porte, à l'exception de Todd et de Mme Hansen. Profitant de cet instant de répit, Julia se pencha vers Jim et lui demanda :

— Voulez-vous que je m'en aille ?

— Non. Restez, répondit-il avec une certaine brusquerie.

Puis, d'un ton radouci, il ajouta :

— S'il vous plaît.

Julia le contempla longuement. Ses yeux sombres semblaient la transpercer.

— Très bien, acquiesça-t-elle calmement.

Lorsque tous furent sortis, Jim s'enquit :

— Toujours avec nous, madame Hansen ?

— Oui, monsieur Williams.

— Tu n'as pas d'objection à la présence de Mme Hansen, Todd ?

Julia vit Todd lancer un coup d'œil à la secrétaire. Il paraissait très nerveux.

— Non, bien sûr, répondit-il cependant.

— J'ai demandé également à Mlle Kendricks de rester avec nous.

— Enchanté de faire votre connaissance, balbutia Todd en souriant à Julia d'un air timide.

— Mlle Kendricks m'aide à trouver mon chemin dans l'obscurité, précisa Jim.

Todd se passa une main dans les cheveux.

— Ah ? Euh... bien sûr. Ecoute, Jim...

— Qu'est-ce qui ne va pas, Todd? Tu as l'air au bord de la dépression nerveuse. Je suis sûr que tu as un problème et je veux savoir de quoi il s'agit. Tout de suite.

Todd déglutit avec effort. De toute évidence, il luttait contre les larmes. Julia était sur le point d'intervenir, quand il lança, d'une voix étranglée :

— C'est ma fille...

— Ta fille?

— Oui, Peggy. Mary Margaret.

Jim se raidit imperceptiblement.

— Elle a eu un accident, il y a dix jours. Nous lui avons offert une luge pour Noël et elle a percuté un arbre. Les médecins ne savent pas si... elle... remarchera. Ma femme est... Peggy est notre seule enfant. Elle a... sept ans.

Julia vit Jim blêmir. Ses yeux fixaient un point mystérieux devant lui, comme s'il avait soudain une vision de cauchemar. Spontanément, elle posa une main sur son bras. S'il s'en aperçut, il n'en laissa rien paraître.

— Peggy est encore à l'hôpital? demanda-t-il au bout d'une minute.

— Oui.

— Et tu as quitté l'hôpital pour assister à la réunion?

— Oui.

— La semaine dernière...

— J'avais établi une conférence téléphonique avec l'hôpital, intervint Nancy Hansen. J'avais l'intention de faire de même aujourd'hui.

— Mais j'ai décidé d'assister à la conférence en personne...

— Oui et... je suis venu aussi vite que j'ai pu, balbutia Todd.

Jim fronça les sourcils.

— Tu pensais donc que cette réunion était plus importante que ta fille?

Julia tressaillit en l'entendant poser cette question. Comment osait-il dire...?

— Je suis désolé, Todd, poursuivit-il aussitôt. Je sais que si tu t'es précipité ici, c'est que tu croyais que, pour moi, la réunion passait avant tout le reste...

Nancy Hansen intervint de nouveau.

— C'est moi qui ai cru bon de l'appeler, monsieur Jim. Si j'ai eu tort, je...

— La seule personne à blâmer ici, c'est moi, l'interrompit Jim. Todd, je suis désolé pour ta fille. Et j'espère que je ne t'ai pas rendu cette épreuve encore plus difficile par mon attitude. Je ne savais pas... je ne voyais pas...

Todd se redressa, voulut balbutier quelques mots, mais Jim ne lui en laissa pas le temps.

— Retourne à l'hôpital, reste auprès de ta famille. Pour l'instant, c'est tout ce qui compte. Et, à moins que tu n'aies besoin de quelque chose... je ne veux plus que tu remettes les pieds ici, tant que Peggy ne sera pas sortie d'affaire.

Environ une heure plus tard, Jim et Julia se retrouvèrent dans un taxi, immobilisés dans un gigantesque embouteillage.

— Que regardez-vous? s'enquit Jim au bout de plusieurs minutes de silence.

— Vous.

— Ah. Et quelles sont vos conclusions après cette observation de ma personne?

Il y eut une pause, ponctuée de coups de klaxon assourdissants.

— Vous vous êtes montré très généreux envers Todd Reilly.

— J'essayais simplement de réparer le mal que je lui avais fait. Ce n'est pas de la gentillesse.

— Vous avez fait tout ce qui était en votre pouvoir. Vous avez obtenu une chambre privée pour Peggy, à l'hôpital, puis vous avez fait appeler ce magasin de jouets par Mme Hansen et...

— J'ai donné des instructions et de l'argent, voilà tout. Ce n'est pas grand-chose, étant donné les circonstances.

— Mais cela fait une grande différence pour les Reilly. Vous pouvez me croire.

Jim ferma les yeux et laissa sa tête retomber sur le dossier de cuir. Les souvenirs refluèrent. Une adolescente, le visage en sang, qui le suppliait de ne pas l'abandonner...

— Jim ?

Jim souleva les paupières. L'obscurité... encore.

— Avez-vous déjà fait quelque chose dont vous ayez eu honte, Julia ?

Il perçut la réaction choquée de sa compagne, un raidissement dans son attitude.

— Cela arrive à tout le monde, répondit-elle au bout d'un instant.

Alors, il faillit tout lui raconter. La jeune fille allongée au bord de la route, ses supplications... et la promesse qu'il n'avait pas tenue. Une vague d'amertume lui envahit la bouche. Il renonça à parler. Comment expliquer son comportement à une femme aussi généreuse, aussi désintéressée que Julia Kendricks ? Une femme qui l'avait aidé à traverser la plus dure épreuve de sa vie ? Il ne se sentait pas le courage de lui faire l'aveu de son indifférence... de sa placidité, face au malheur des autres.

Jim soupira lourdement, songeant à la façon dont elle lui avait pris le bras, pendant sa discussion avec Todd. Cette main posée sur lui, c'était une main tendue à un homme qui se noyait, qui ne savait plus où il en était.

— Merci d'être venue avec moi, aujourd'hui, Julia. C'est votre présence à mes côtés qui fait toute la différence.

Quand ils arrivèrent à la maison, Emerson informa Jim qu'il avait reçu une invitation à dîner de la part de Stéphanie Talcott.

— Vous devriez vous y rendre, conseilla Julia, luttant contre une brusque vague de jalousie.

— Espérez-vous vous débarrasser de moi ?

— Bien sûr que non ! Mais je pense que cela vous ferait le plus grand bien de sortir.

— Je suis sorti toute la journée.

— Pour travailler. Mais là, il s'agit de... vous distraire, lança-t-elle avec un coup d'œil en coin à Emerson.

Celui-ci avait communiqué à Jim le message de Stéphanie, d'un ton absolument neutre.

— De toute évidence, vous n'avez jamais assisté aux petites fêtes de Steffie.

Julia tiqua à l'emploi du diminutif, mais s'efforça de garder un ton léger pour répliquer :

— Je n'ai jamais assisté à une soirée, grande ou petite. Mais je pense vraiment que vous devriez accepter cette invitation.

— Et vous ?

Julia sentit ses joues s'enflammer.

— Moi ?

— Que ferez-vous pendant que... je me distrais ?

— Oh, je... je trouverai bien une occupation.

— Vous pourriez appeler Dennis.

— Mlle Talcott m'a dit que le Dr Mitchell était également invité à la soirée, fit aussitôt observer Emerson.

— Tant mieux, déclara Julia.

Le fait que Dennis Mitchell assiste à cette soirée était plutôt rassurant. Jim ne se retrouverait pas complètement seul.

— L'idée de vous laisser ici ne me plaît guère, grommela-t-il, la mine contrariée.

— Je ne serai pas seule. Emerson est là...

— En fait, non, mademoiselle. J'avais prévu de partir tout le week-end, l'informa le valet. Mais je me ferai un plaisir de retarder mon départ, si...

— Pas question, répliqua Julia. Si quelqu'un a besoin

de repos, c'est bien vous. Partez donc en week-end. Et vous, Jim, allez dîner chez Stéphanie Talcott.

Elle s'exprimait d'un ton léger. Mais une idée la préoccupait cependant. Emerson parti, elle se retrouverait en tête à tête avec Jim... pendant tout un week-end.

Jim et Emerson quittèrent la maison à un quart d'heure d'intervalle. Emerson en taxi, Jim dans la voiture de Dennis. Julia les regarda s'éloigner, le cœur un peu serré.

Après avoir dîné légèrement, elle se retira dans sa chambre avec l'intention de mettre ce moment de liberté à profit pour écrire à sa famille. Lorsque sa lettre fut terminée, elle enregistra une cassette pour Peter.

Coucher des mots sur du papier, rapporter quelques anecdotes, cela n'avait rien de bien difficile. Mais elle eut plus de mal à faire l'enregistrement sur magnétophone. Elle revint plusieurs fois en arrière, effaçant des paroles qui révélaient trop ses sentiments. Il y avait tant de choses qu'elle ne désirait pas laisser transparaître dans son message ! Comme celle-ci : elle aimait Jim Williams, de tout son cœur, de toute son âme et elle allait le quitter. Bientôt. Très bientôt.

Julia avait longtemps idéalisé l'homme qui lui avait sauvé la vie, mais elle n'en était pas tombée amoureuse. C'est seulement en découvrant le vrai Jim Williams, avec tous ses défauts, sa dureté, son caractère infernal, mais aussi avec toutes ses qualités... qu'elle avait senti naître l'amour.

Julia retira la cassette du magnétophone et la glissa dans une enveloppe avec sa lettre. Elle irait la poster elle-même le lendemain, pendant sa promenade quotidienne. Bien qu'Emerson se chargeât de tout le courrier de la maison, elle avait toujours observé la plus grande discrétion concernant sa correspondance personnelle.

Jetant un coup d'œil à sa montre, elle remarqua qu'il

était plus de 10 heures. Combien de temps la petite sauterie de Stéphanie Talcott allait-elle durer ?

Etouffant un bâillement, elle se dirigea vers la salle de bains. Elle resta longtemps sous la douche, laissant couler avec délice le jet d'eau tiède sur ses cheveux.

Puis elle revêtit une confortable chemise de coton et commença à sécher sa longue chevelure. Croyant percevoir un bruit dans le hall, elle arrêta le sèche-cheveux et écouta. Rien. Elle avait donc rêvé. Avec un haussement d'épaules, elle ralluma l'appareil.

Elle s'apprêtait à aller se coucher, lorsqu'elle entendit cette fois un fort bruit de chute. Son cœur fit un bond. Ce bruit venait de la chambre de Jim ! Il était donc rentré ! Affolée, elle se précipita dans le couloir. La porte de la chambre était entrouverte. Julia entendit un nouveau bruit de chute, puis un juron, lancé d'une voix furieuse.

« Oh, mon Dieu... que se passe-t-il ? » songea-t-elle en poussant doucement le panneau de bois. Et quand elle appela Jim à mi-voix, celui-ci tourna vers elle un visage tout à la fois désemparé et furieux.

— Jim...

— Vous n'étiez pas là ! lança-t-il d'une voix rauque. J'avais besoin de vous, Julia. Et vous n'étiez pas là !

— Je suis près de vous maintenant, Jim.

Et elle s'avança, les bras tendus, vers l'homme qu'elle aimait.

10.

Caresser... sa peau nue et satinée, ses boucles répandues en cascade.

Goûter... ses lèvres douces et tièdes.

Entendre... les battements de son cœur, sa voix vibrante de passion, lorsqu'elle prononçait son nom.

Respirer... son parfum enivrant.

Julia... jamais il ne s'était senti en pareille harmonie avec une femme. Il avait besoin d'elle. Un besoin impérieux, absolu.

— Julia. Oh, Julia..., murmura-t-il, éperdu.

Elle s'abandonna contre lui, lui offrant son corps fin et souple. Jim sentit ses seins ronds et fermes se plaquer contre son torse. Tous ses sens s'embrasèrent.

Leur baiser se fit plus profond et il savoura la bouche tiède de sa compagne. Un désir ardent enflamma son corps et il poussa un grognement sourd.

L'image d'une femme à la beauté diaphane se forma dans son esprit. Une femme au teint pâle, aux cheveux blonds et soyeux, aux yeux d'aigue-marine. Tout en lui souriant doucement, elle lui fit un signe gracieux de la main. Ses lèvres roses étaient pleines et sensuelles.

Il essaya désespérément de graver ce visage dans sa mémoire. Mais plus son effort était intense, plus sa vision du visage féminin se brouillait. Puis l'image s'effaça, comme un rêve qui s'évanouit, et il se retrouva dans la nuit.

Des paroles, une supplication, remontèrent vers lui. L'écho d'une voix, qu'il n'avait entendue qu'une seule fois, dix ans auparavant. *Ne me laissez pas... ne m'abandonnez pas... je vous en prie...*

Julia prononça son nom. Sa voix semblait venir de loin, de très loin. Puis il sentit la chaleur apaisante de ses mains sur ses épaules, la caresse de ses lèvres contre les siennes.

Le passé s'évapora et il reprit pied dans une merveilleuse réalité.

Sa main s'aventura sur les épaules de la jeune femme, sur sa nuque souple et fine. Ses doigts se perdirent dans sa chevelure, puis redescendirent lentement dans son dos, sur ses reins. Il reprit sa bouche, l'embrassa avec une ferveur renouvelée. Jamais une femme ne lui avait donné tant de bonheur.

Relâchant à peine son étreinte, il respira le parfum de ses cheveux, s'enivra de l'odeur fraîche et douce de sa peau.

Leurs bouches se cherchèrent, se retrouvèrent et ils se noyèrent dans un océan de tendre sensualité.

— Oh, je t'en prie... je t'en prie, murmura Julia d'une voix égarée.

Les doigts de Jim s'aventurèrent sur son vêtement, trouvèrent les boutons de nacre qui en fermaient le col. Que portait-elle ? se demanda-t-il en effleurant les manches longues, le col montant, le tissu lourd et épais. Il la voulait nue dans un voile de soie... ou mieux encore... complètement nue et frissonnante entre ses bras.

Il défit un bouton, puis deux, puis trois... le quatrième ne céda qu'après quelques efforts.

Réprimant un frémissement d'impatience, Jim glissa une main sous la chemise entrouverte, trouva les seins doux, ronds...

— Tu es si belle... si belle, chuchota-t-il d'une voix rauque.

Il sentit les pointes de ses seins se tendre sous ses doigts et il caressa longuement la peau veloutée. Toutes ses expériences passées, il les oublia ; elles furent englouties dans un amas confus de souvenirs et il découvrit une émotion entièrement nouvelle.

Julia frémissait sous ses caresses. Avec un bonheur immense, il comprit que, pour elle aussi, ces sensations étaient intenses, étourdissantes. Il perçut même l'étonnement de la jeune femme devant la puissance, l'exigence, de leur désir mutuel.

— Jim... Jim..., répéta-t-elle d'une voix altérée par l'émotion.

Ses doigts fins et délicats glissèrent sur sa chemise blanche et elle commença à la déboutonner, maladroitement. Puis Jim sentit ses mains sur son torse nu et gémit de plaisir. Les ongles de Julia effleurèrent délicatement sa peau, enflammant ses sens. Ses lèvres pulpeuses se posèrent à leur tour sur lui, faisant naître en lui un tourbillon de sensations enivrantes.

Sa chemise tomba à terre, ainsi que celle de Julia. Au bout de quelques secondes, il sentit les mains de sa compagne s'aventurer sur son ventre, défaire lentement la boucle de sa ceinture. Ses muscles se contractèrent, le sang lui battit aux tempes. Son corps tout entier n'était plus qu'une flamme.

Il ne comprit jamais très bien comment ils étaient arrivés jusqu'au lit. Etait-ce Julia qui l'avait guidé ? Ou bien lui, qui l'avait prise dans ses bras et déposée, sans même s'en rendre compte, sur la courtepointe de satin ?

Oh... toucher, caresser, son corps nu sous le sien.

Goûter ses lèvres tendres et sucrées, sa peau de velours.

Ecouter ses gémissements de plaisir, tandis qu'il effleurait doucement, tendrement, le cœur de sa féminité.

Respirer l'odeur envoûtante de son corps.

Aucune autre femme n'avait éveillé un tel désir en lui.

Il ignorait même qu'il fût possible d'éprouver un sentiment d'une telle intensité.

— Jim, viens... je t'en prie...

Il s'allongea sur la jeune femme et pénétra dans la chaleur de son corps.

Un moment de bonheur intense... absolu. Puis il se rendit compte que Julia s'était crispée, tout à coup.

L'obscurité qui l'environnait se fit soudain oppressante.

— Julia? demanda-t-il, la voix rauque. Julia, que...

Un gémissement, un sanglot étouffé... Julia...

Brusquement, il comprit. Il s'était montré trop brutal... sans doute lui avait-il fait mal...

Avec un sursaut désespéré, il se redressa, prêt à s'arracher au bonheur indicible qu'il venait de découvrir. Il ressentit une vague de dégoût vis-à-vis de lui-même. Méprisable... il était un être méprisable et égoïste.

— Non! s'écria Julia, en enfonçant les ongles dans ses épaules.

Et lui qui croyait avoir changé, depuis l'arrivée de la jeune femme! Lui qui s'imaginait avoir appris à écouter les autres, à les *voir* réellement! Comme il s'était trompé lui-même! Il n'était qu'un égoïste, un misérable égoïste, qui ne songeait qu'à son propre plaisir.

Il tenta de se dégager des bras de sa compagne.

— Je t'ai fait mal, dit-il d'une voix sourde.

— Mal? Mais... mais non... non...

Julia était à mi-chemin entre le rire et les larmes. Avec un soupir, elle se lova contre son amant. Son corps se détendit et, nouant les bras autour de sa nuque, elle l'attira contre elle, en elle.

— Attends..., la supplia-t-il en lui agrippant les épaules. Attends...

Elle obéit. Mais seulement l'espace de quelques secondes.

Ce fut suffisant pour qu'il recouvre le contrôle de

lui-même. Puis il reprit possession de son corps. Il la sentit frémir contre lui, et tous deux, en même temps, atteignirent le point de non-retour.

Le monde bascula, ils vacillèrent et sombrèrent dans un plaisir ineffable.

Ce ne fut que plus tard, beaucoup plus tard... lorsque son cœur eut recouvré son rythme normal et que Julia se fut endormie entre ses bras, que Jim se posa l'inévitable question.

Pourquoi ?

Pourquoi Julia avait-elle fait cela ? Pourquoi avait-elle fait l'amour avec lui ce soir... justement ce soir ?

Il demeura les yeux grands ouverts dans l'obscurité qui formait désormais son univers. Cherchant des explications... des motifs... Puis il en arriva à la seule conclusion possible.

Julia se tourna et instinctivement, il resserra son étreinte. Elle bougea encore, se blottit contre lui en chuchotant des paroles indistinctes.

Pourquoi avait-elle fait l'amour avec lui ?

La réponse était simple, claire, évidente.

Absolument insupportable.

Julia sortit d'un sommeil lourd. La chambre, éclairée par une faible lueur matinale, était plongée dans le silence. L'atmosphère de la pièce lui parut irréelle. Elle frissonna, nue sous les draps de lin.

Nue...

L'espace d'une seconde, elle fut saisie d'un mouvement de panique. Que faisait-elle nue et seule, dans ce grand lit aux draps froissés ? Sa gorge se serra. Puis soudain, tout lui revint en mémoire. Jim...

Ses baisers passionnés.

Ses caresses... le désir brûlant qu'il avait éveillé en elle.

Julia se redressa sur le lit et ses cheveux retombèrent épars sur ses épaules.

— Jim, murmura-t-elle, le cœur battant. *Jim.*

Les yeux fermés, elle se rappela les mille et une sensations qu'il avait fait naître en elle. Souvenir délicieux...

Le bonheur qu'elle avait découvert entre les bras de Jim dépassait tout ce qu'elle avait imaginé. La sexualité, qui lui avait toujours paru honteuse et dégradante, s'était transformée grâce à lui en une source de splendeur. Pour la première fois de sa vie, elle se sentait...

— Julia?

La jeune femme ouvrit les yeux. Jim se trouvait dans l'embrasure de la porte. Il portait une robe de chambre de soie rouge sombre, qui mettait en valeur ses larges épaules et son corps musclé. Ses cheveux bruns étaient rejetés en arrière, donnant à son visage une beauté virile.

Une vague de désir traversa Julia. Ses seins se tendirent sous l'étoffe légère du drap et son ventre fut parcouru d'une onde de chaleur. Elle sentit ses joues s'empourprer et ramena doucement le drap sur ses épaules.

— Bonjour, murmura-t-elle dans un souffle.

Jim hocha la tête et entra lentement dans la chambre. Son visage était fermé, impassible. Il alla s'asseoir dans un fauteuil, près de la fenêtre. Un rayon de soleil éclaira sa chevelure brune, faisant briller quelques fils argentés sur ses tempes. Il ne dit rien.

Finalement, Julia se glissa hors du lit, enroula le drap autour d'elle et approcha du fauteuil à pas lents. Quand elle ne fut plus qu'à deux pas de Jim Archer, elle s'arrêta et inspira profondément. L'amour qu'elle ressentait pour lui la rendait faible et forte à la fois.

Elle tenta de maîtriser son émotion et demanda :

— Jim?

Pas de réponse. Jim demeura aussi immobile qu'une statue.

— Je t'en prie, dis-moi ce qui ne...

Sa main effleura l'épaule de Jim et il sursauta, comme s'il s'était brûlé à son contact. Il se retourna si brusquement qu'elle fit un pas en arrière et trébucha sur le drap.

— Je n'ai rien à te dire, lança-t-il.

— Mais...

— Je vais bien, Julia. C'est ce que tu veux entendre, n'est-ce pas?

— Non! Non, je vois bien que ce n'est pas vrai!

L'expression de Jim changea. Son visage, qui une minute plus tôt paraissait de marbre, se décomposa. Une expression de vulnérabilité s'inscrivit sur ses traits.

Il y eut un silence. Long, insupportable. Puis, de but en blanc, il posa la question qui lui brûlait les lèvres :

— Pourquoi as-tu fait l'amour avec moi?

« Parce que je t'aime », songea-t-elle aussitôt.

— Parce que je te désire, répondit-elle à haute voix.

— Tu es entrée dans cette chambre, tu as trouvé un homme aveugle, furieux, étendu sur le sol de tout son long et tu es tombée follement amoureuse de lui?

Le ton était dur, sarcastique. Mais sous le sarcasme, Julia perçut la peur. Soudain, elle comprit. Jim pensait que c'était un mouvement de pitié qui l'avait poussée vers lui! Comment pouvait-il imaginer une chose pareille? Ne se rendait-il pas compte qu'elle l'aimait?

— Quand je suis entrée dans ta chambre hier soir, j'ai vu que ça n'allait pas et j'ai voulu t'aider. Mais... lorsque tu m'as prise dans tes bras, lorsque tu m'as touchée... je...

Elle s'interrompit, incapable d'exprimer clairement ce qu'elle ressentait. Comment lui expliquer qu'elle s'était soudain sentie femme, totalement femme, pour la première fois de sa vie?

— Oui, Julia? Que s'est-il passé quand je t'ai touchée?

— Tu le sais bien ! s'écria-t-elle, au bord des larmes.

Elle lutta contre un sanglot, puis reprit :

— Tu le sais, Jim. Je me suis sentie fondre entre tes bras. Je n'ai plus eu qu'un désir : m'offrir à toi, t'appartenir totalement. Oh, je... je ne savais pas... je veux dire... je n'avais jamais rien ressenti de pareil...

Sa gorge se serra et elle contempla en silence l'homme assis devant elle. Jim semblait abasourdi, incrédule.

— Tu as connu d'autres hommes, Julia.

Le ton n'était pas accusateur, mais... S'il apprenait la terrible vérité, que dirait-il ? Comment réagirait-il ?

Cela ne se produirait jamais. Plusieurs fois, elle s'était trouvée à deux doigts de tout avouer. Mais la nuit dernière, elle avait pris une résolution : Jim ne devait pas savoir. Il avait fait l'amour avec Julia Kendricks ; Juline Fischer n'existait plus !

— Et tu as connu d'autres femmes, ajouta-t-elle après quelques secondes.

— Julia...

— Leur as-tu demandé pourquoi elles faisaient l'amour avec toi ?

La question était inattendue ! Il leva brusquement la tête.

— Non, jamais, répondit-il lentement. Je n'y ai même jamais pensé. Cela n'avait... aucune importance.

— Mais cela en a... avec moi ?

Le regard fixe et sombre de Jim se posa sur elle.

— Tu le sais bien.

— Non, je... je n'en suis pas sûre, Jim.

Jim hésita, puis tendit la main vers elle.

Julia ne bougea pas. Elle en était incapable, l'émotion était trop forte.

— S'il te plaît, Julia.

Un pas en avant. Elle prit la main tendue et les doigts de Jim se refermèrent sur les siens. Un autre pas...

Il l'attira vers lui, la fit asseoir sur ses genoux, la serra contre sa poitrine.

— Julia...

Ses mains glissèrent sur les hanches rondes de la jeune femme, en une étreinte ferme et possessive. Julia fut parcourue d'un voluptueux frisson. Avec un soupir, elle nicha la tête au creux de son épaule.

— Me crois-tu, maintenant? lui murmura-t-il à l'oreille.

Elle répondit par un gémissement sourd. Puis elle sentit son souffle tiède dans son cou, ses lèvres sur sa peau.

— Je suis désolé, Julia.

Elle se dégagea et leva la tête.

— Pourquoi?

— Pour la façon dont je me suis comporté tout à l'heure. Je suis un miséra...

— Chut, ne dis plus rien, dit-elle en lui posant une main sur la bouche. Je comprends ce que tu ressentais.

Avec un sourire, il l'attira de nouveau contre lui. Ils restèrent un long moment enlacés, heureux, apaisés. Le visage contre son torse viril, Julia écoutait les battements réguliers de son cœur. Elle le désirait... elle le désirait tant!

— Julia?

— Mmm?

— Il y a une chose à laquelle je n'ai pas pensé hier soir.

Sa voix exprimait un peu d'anxiété et Julia ouvrit les yeux, surprise.

— De quoi veux-tu parler?

— De... protection.

Julia cligna des yeux, sans comprendre. Puis elle rougit, s'entendit balbutier quelques mots sans suite.

— Je suis en bonne santé, reprit Jim, tu n'as pas à t'inquiéter à ce sujet.

— Moi... aussi, parvint-elle à articuler, la gorge serrée.

Elle pensa aux innombrables tests qu'elle avait subis,

sans jamais parvenir à se tranquilliser tout à fait. Comme si elle voulait se punir elle-même pour tout ce qui lui était arrivé pendant son adolescence. Ce n'est qu'avec l'aide d'une psychologue qu'elle s'était finalement rassurée.

— Y a-t-il un risque que tu sois enceinte? demanda Jim avec une infinie douceur.

Julia se raidit. Enceinte?

Une image inattendue se forma dans son esprit. Un bébé... brun aux yeux noirs. L'enfant de Jim.

Elle pouvait presque l'imaginer entre ses bras, sentir l'odeur chaude et sucrée de son petit corps, entendre ses vagissements. Oh, combien eût-elle donné pour que cette vision se transforme en réalité!

— Je... je ne... c'est-à-dire que... je ne suis pas...

Jim resserra tendrement son étreinte et elle parvint à murmurer :

— Je ne pense pas qu'il y ait de risque.

Mentalement, elle compta les jours et ne put s'empêcher de ressentir une pointe de déception.

— Non, il n'y a absolument rien à craindre.

— Tu ne peux pas en être tout à fait sûre.

— Pas à cent pour cent. Mais presque.

— Julia...

— C'est la vérité, Jim, je t'assure! s'exclama-t-elle avec véhémence.

Apparemment surpris par sa réaction, Jim murmura :

— Mais je te crois, ma chérie.

Il parla d'un ton si doux, si calme, que la jeune femme en fut émue aux larmes.

— Vraiment?

— Oh, oui.

Ses lèvres se posèrent tendrement dans le cou de Julia. Celle-ci eut vaguement conscience que le drap de lin glissait lentement sur ses épaules, mais elle n'y prêta pas attention.

— Je te connais, chuchota-t-il encore en déposant de

légers baisers sur sa peau nue. Pas aussi bien que je le voudrais... mais assez pour savoir que... mmm...

Ses dernières paroles se perdirent dans le baiser passionné qui scella leurs lèvres.

Les questions disparurent, les doutes s'envolèrent, tandis que leurs corps s'unissaient avec volupté.

11.

— Tu ne m'as pas demandé comment s'était passée ma soirée chez Stéphanie, remarqua Jim le lendemain.

Le cœur de Julia s'emballa. Ils se promenaient tranquillement au soleil et, jusqu'à présent, leur conversation était restée légère, superficielle.

— Je pensais que tu m'en parlerais quand tu en aurais envie, répondit-elle en lui lançant un regard en coin.

Jim sembla réfléchir, puis demanda :

— Te rappelles-tu la discussion que nous avons eue le jour de ton arrivée ?

— Oui, très bien.

Julia était perplexe. Où Jim voulait-il en venir ? Quel était le rapport entre cette discussion et la soirée de Stéphanie ?

— Ce jour-là, tu m'as dit en quoi tu pourrais m'aider.

— Oui, j'ai dit que... je t'apprendrais à ne plus te cogner dans les meubles et à ne plus te heurter aux murs.

Jim esquissa un sourire narquois.

— Eh bien, je crois que j'ai besoin de quelques leçons supplémentaires.

Julia sentit son cœur se serrer, mais elle s'efforça de ne pas laisser paraître sa peine.

— Dennis n'est donc pas un bon guide ? s'enquit-elle d'un ton faussement léger.

— Dennis n'a pas assisté à la soirée. A peine étions-nous arrivés devant la porte de Stéphanie, que son téléphone de voiture se mit à sonner. Il a dû retourner à l'hôpital de toute urgence.

— Et il t'a laissé seul ?

— Je lui ai dit que je me débrouillerais. Cutter Dane a proposé de me ramener après le dîner.

— Oh...

— Si j'avais su que Stéphanie nous servirait du homard, je n'aurais pas insisté pour rester.

Julia s'immobilisa au beau milieu du trottoir.

— Du homard ?

— Elle ne l'a pas fait exprès ! s'exclama Jim avec un petit rire amer. Ou plutôt... si. Elle sait que j'adore le homard et elle voulait me faire plaisir. Malheureusement, elle n'a pas pensé une minute à l'épreuve qu'elle m'imposait !

Julia ne sut que répondre. A priori, elle éprouvait beaucoup moins d'indulgence que Jim pour le manque de tact de cette Stéphanie Talcott.

— Cela a dû être très difficile pour toi, finit-elle par dire, en choisissant ses mots avec soin.

Jim haussa les épaules et lui prit la main.

— Au moins, je n'ai pas vu dans quel état j'avais mis la nappe ! Tu n'as pas de truc pour ce genre de situation ?

— De truc ?

— Comment manger du homard quand on est aveugle ?

— Hélas, non. Je n'en ai d'ailleurs jamais mangé.

— Oh, tu as donc été privée d'un immense plaisir.

Le mot « plaisir » évoqua en elle une foule de sensations délicieuses qui n'avaient rien à voir avec la gastronomie. Elle sentit ses joues s'empourprer.

— Je ne dirais pas cela, balbutia-t-elle, troublée.

— Attends d'en avoir goûté.

⁂

Julia s'essuya les lèvres et lança un coup d'œil à Jim. Vêtu d'un simple pantalon de pyjama, celui-ci savourait une coupe de champagne à côté d'elle.

— Et maintenant ? questionna-t-elle en remontant pour la centième fois les manches de sa robe de soie.

C'était une robe de chambre que Jim lui avait prêtée et qu'elle portait à même la peau. Il avait insisté pour qu'elle remplace son « horrible chemise en pilou » par ce vêtement plus sensuel.

— Maintenant, tu suces les pattes.

— Quoi ? s'exclama Julia, éberluée. Tu en es sûr ?

— Mais oui, ma chérie. Amy Vanderbilt elle-même s'y prend de cette façon. Il n'y a aucun mal à cela, à condition de ne pas faire de bruit !

— Et je peux me servir de mes doigts ?

— Tout à fait.

— Dans ce cas...

Agrippant de la main gauche la carapace rouge du homard qu'elle venait de déguster, elle rompit une des pinces et la porta à sa bouche.

— C'est bon ? demanda Jim.

— Délicieux.

Les dernières quarante-huit heures qui venaient de s'écouler étaient les plus belles, les plus ensorcelantes de sa vie. Pourtant, malgré le bonheur dans lequel elle baignait, elle n'oubliait pas que, bientôt, tout serait fini. Les heures qui lui restaient à passer auprès de Jim étaient comptées.

Si seulement...

Assez ! s'ordonna-t-elle. Toutes ces rêveries, tous ces faux espoirs ne feraient que rendre la séparation plus douloureuse. Il fallait avoir le courage de regarder la réalité en face.

C'était dur. Très dur. Surtout pendant ces moments d'intimité et de tendresse où elle vivait un rêve.

Jim avait eu l'idée de « pique-niquer » devant la cheminée du bureau. Il avait aussitôt téléphoné à l'un des plus grands traiteurs de Boston et fait livrer un somptueux repas.

— Tu n'étais pas obligé de faire ça ! s'était exclamée Julia, en considérant avec stupéfaction le festin qu'un livreur venait de poser sur la table.

— Non, mais ça me fait plaisir. Et maintenant, si nous allions nous déshabiller avant de dîner ?

— Nous déshabiller ?

— Nous mettre à notre aise, si tu préfères. Au fait... ne remets pas cette affreuse chose en pilou.

Julia sourit en repensant à cette remarque et repoussa son assiette vide.

— Tu avais raison, le homard est un mets délicieux.

— Si nous passions au dessert ? suggéra Jim en posant son verre vide sur le bureau.

Les flammes qui dansaient dans la cheminée éclairèrent son visage et ses épaules de reflets orangés, mettant en valeur sa beauté virile. Julia sentit une onde de chaleur lui parcourir le corps et la pointe de ses seins se pressa contre l'étoffe soyeuse de la robe de chambre.

— Ah, voilà le dessert...

Jim tendit la main et trouva à sa gauche un plat rond et creux muni d'un couvercle. Il ôta ce dernier, faisant apparaître, sur un lit de glace, une superbe mousse au chocolat surmontée de crème fouettée et garnie de violettes de Toulouse.

— Qu'en pense madame ?

— Madame est folle de gourmandise.

— Parfait. Y a-t-il des cuillères sur la table ?

— Non, mais je vais en chercher.

— Attends ! C'est inutile, déclara-t-il avec un sourire coquin.

Il prit un peu de crème sur le bout de son doigt et le tendit à Julia. Celle-ci sentit un étrange frisson lui parcourir le dos.

— Jim...

— Goûte !

Elle hésita, puis se pencha et lécha le chocolat du bout de la langue.

— C'est... merveilleusement bon.

— Encore un peu ?

— Oui. S'il te plaît.

Ils recommencèrent, puis Julia déclara :

— A toi, maintenant.

D'une main tremblante, elle prit la crème onctueuse sur le bout de ses doigts et la présenta aux lèvres entrouvertes de Jim. Celui-ci lécha la crème, puis les doigts, lentement, avec application.

— Tu en veux encore ? s'enquit-elle alors.

— Non. Plus de crème ni de chocolat. Je te veux, toi. Et seulement toi.

Repoussant le plat de crème, il se pencha vers la jeune femme, puis laissa glisser ses mains le long de ses jambes fuselées.

Une vague de désir submergea Julia. Eperdue, elle murmura son nom. La robe de soie glissa, révélant son corps nu et harmonieux, la pointe des seins tendus de désir.

— J'ai une confession à faire, déclara Jim d'une voix rauque, tout en s'allongeant sur elle.

— Une confession ?

Ses mains caressèrent la poitrine virile, les épaules puissantes.

— Mmm...

D'un simple geste, Jim défit la cordelière de soie qui retenait la robe sur le ventre de sa compagne. Puis il déposa une série de baisers brûlants entre ses seins.

— Bien que j'adore le chocolat, j'ai tout de même une préférence...

Il s'interrompit pour embrasser les lèvres tièdes de la jeune femme.

— ... une préférence pour...

Encore un baiser, plus profond, plus ardent.

— ... Pour les mets plus épicés...

La soie rouge sombre de la robe glissa sur les épaules blanches de Julia et tomba silencieusement sur le tapis de laine.

— Alors, pourquoi as-tu commandé de la mousse au chocolat ?

Jim saisit ses deux seins au creux de ses mains, en taquina la pointe du bout de la langue, puis répondit d'une voix étouffée :

— Parce que... c'était tout ce que le chef pouvait nous préparer... en si peu de temps !

— Oh...

Il saisit une pointe rose et tendue entre ses dents, la mordillant délicatement.

Julia étouffa un cri de plaisir. La flamme dévorante du désir se répandit en elle, ses sens s'embrasèrent comme une torche.

— Oh, Jim...

Alors, enivrés, éperdus, ils s'abandonnèrent l'un à l'autre dans un océan de jouissance.

12.

Ils s'éveillèrent tard le lendemain matin et eurent juste le temps de s'habiller, avant l'arrivée de Mme Wolfe, la gouvernante.

Si celle-ci devina ce qui s'était passé pendant le week-end, elle n'en laissa rien paraître. Son visage n'exprimait qu'une indifférence polie, nota Júlia.

— Mlle Kendricks et moi-même passerons toute la journée au siège de Williams Venture, déclara Tim, tout en boutonnant son pardessus couleur mastic.

Julia remarqua la souplesse et l'habileté de ses doigts. L'espace d'un instant, elle crut encore sentir ces mains viriles explorer tendrement les secrets de son corps.

— Bien, monsieur, répondit la gouvernante avec déférence.

— Nous déjeunerons dehors.

Julia leva la tête, étonnée.

— Ah bon? ne put-elle s'empêcher d'exprimer.

Elle pensait qu'ils rentreraient déjeuner en tête à tête, dans la maison de Commonwealth Avenue. Apparemment, Jim en avait décidé autrement.

— Tu y vois un inconvénient? s'enquit Jim en se tournant dans sa direction.

Bien que la question fût posée avec politesse, Julia détecta dans le ton de Jim une nuance inhabituelle. Le maître s'adressant aux employés sous ses ordres. En quelques mots, il venait de la remettre à sa place, parmi le personnel.

— Non, absolument pas, répliqua-t-elle doucement.

Quelle idiote! songea-t-elle, le cœur lourd. Que s'était-elle imaginé? Jim et elle venaient de vivre un week-end magique, hors du monde. Elle avait dérobé deux jours de bonheur à l'homme qu'elle aimait. Deux jours d'un bonheur qu'elle ne méritait pas... Ce matin, la magie s'était dissipée et le monde avait repris son aspect réel.

Jim fit un bref signe de tête.

— Très bien. Donc, madame Wolfe, inutile de préparer un repas pour midi. Et ne vous en faites pas pour Emerson, il ne sera pas de retour avant demain matin.

— Bien, monsieur.

— Merci, madame Wolfe.

Glissant la main dans la poche de son pardessus, il en retira une paire de lunettes noires.

— Julia?

— Je suis là, répondit-elle en lui donnant sa canne.

Dans l'ensemble, le personnel de Williams Venture se montra beaucoup plus volubile que Mme Wolfe. Mais Julia n'aurait su dire si les employés avaient remarqué un changement dans sa relation avec Jim.

Non qu'elle souhaitât provoquer des commérages, bien au contraire! Cette seule idée la faisait frémir. Cependant, tout au fond d'elle-même, elle aurait aimé que cette nouvelle passion ne restât pas totalement secrète. Elle aurait aimé être reconnue comme... comme...

Comme quoi au juste? se demanda-t-elle, les doigts crispés sur le magazine qu'elle feuilletait d'un œil distrait depuis un quart d'heure. L'amie de Jim? Sa maîtresse? La femme qu'il aimait?

Julia se mordit les lèvres et renversa la tête en arrière, les yeux fermés. Oui, admit-elle en son for intérieur. C'était exactement ce qu'elle voulait.

Mais si cela se produisait, que devrait-elle faire ? Lui avouer qui elle était en réalité ? Lui raconter ce qu'elle avait fait, la façon dont elle avait vécu autrefois ?

Aurait-elle le courage de dire à l'homme qu'elle aimait la vérité, toute la vérité, rien que la vérité ? Au risque de se voir rejeter, mépriser ? Non. Non, elle ne pouvait pas. C'était impossible, inconcevable...

Une voix féminine prononçant son nom lui fit brusquement reprendre pied dans la réalité. Julia ouvrit les yeux et rencontra le regard placide de Nancy Hansen. Depuis combien de temps celle-ci se trouvait-elle à côté d'elle ? Elle ne l'avait pas entendue approcher. Quelque chose dans l'attitude de la secrétaire lui rappela Emerson. Tous deux avaient la même loyauté vis-à-vis de leur employeur. Et aussi, le comportement de gens qui savent beaucoup de choses, mais n'en révèlent que le moins possible.

— Vous vous sentez bien, mademoiselle Kendricks ?

Julia parvint à sourire d'un air naturel.

— Oh, oui. Très bien.

Mme Hansen parut vouloir la contredire mais, finalement, elle n'en fit rien.

— M. Williams a terminé ses communications téléphoniques. Il vous attend dans son bureau.

Ils déjeunèrent dans un élégant restaurant, non loin des bureaux de la Williams Venture. Malgré l'ambiance feutrée et le repas délicieux qu'on leur servit, Julia ne se sentait pas très à l'aise. A plusieurs reprises, elle eut l'impression que Jim était sur le point de lui dire quelque chose, mais qu'il ne parvenait pas à se décider. Ou bien était-ce l'effet de son imagination ? se demanda-t-elle, intriguée.

— Tu te sens bien ? s'enquit-il, tandis que le maître d'hôtel allait chercher l'addition.

La même question que Nancy Hansen. Julia fit la même réponse :

— Oh, oui. Très bien.

— J'ai l'impression que tu n'as guère mangé.

Effectivement, elle n'avait fait que picorer dans son assiette et le maître d'hôtel lui-même s'en était inquiété.

— Je pense que... c'est à cause du homard et de la mousse au chocolat d'hier soir.

Jim parut tout d'abord interloqué. Puis il se pencha vers elle.

— Julia...

Il fut interrompu par l'arrivée du maître d'hôtel.

— Voilà l'addition, monsieur.

— Merci, répondit Jim en se renfonçant dans son siège.

De toute évidence, elle ne connaîtrait jamais la fin de sa phrase. Quelle frustration...

Le maître d'hôtel consentit enfin à s'éloigner et il y eut une nouvelle pause. Au bout d'une minute, n'y tenant plus, Julia déclara :

— Je vais payer.

Elle vit Jim se raidir.

— Pas question. C'est moi qui ai eu l'idée de ce déjeuner au restaurant.

— Et aussi du dîner d'hier soir.

— Je ne vois pas ce que le dîner a à voir avec ça.

Tout ! songea-t-elle, désespérée.

— Je te dois un repas, poursuivit-elle à voix haute.

— Pour l'amour du ciel, Julia...

— Je ne veux pas être ta débitrice, Jim.

Jim eut un mouvement de recul, comme si Julia venait de le frapper au visage.

— Tu ne veux pas avoir de dette envers moi ?

— Envers toi ou qui que ce soit.

Elle vit le pli amer qui marquait ses lèvres. Elle n'avait pas voulu lui faire de peine, mais les mots lui avaient échappé spontanément, sans qu'elle puisse du tout les retenir.

— C'est une façon de vivre très contraignante, fit-il remarquer d'un ton glacial.

— Quelquefois. Mais c'est ma façon à moi.

Tout était sa faute, songea Jim, tandis que Julia ouvrait la porte de la maison. Il avait sûrement dit ou fait quelque chose qui avait blessé la jeune femme.

Comment réagir? C'était la première fois de sa vie qu'il se trouvait confronté à ce genre de situation. Depuis que Julia était entrée dans sa vie, il faisait l'expérience de sentiments entièrement nouveaux. Après ce qui s'était passé ce week-end...

— Julia? lança-t-il brusquement.

— Oui?

Elle ne se trouvait qu'à cinq ou six mètres de lui. Mais psychologiquement, un gouffre les séparait. Jim sentit sa gorge se serrer. Puis il déclara, d'une voix faible :

— Je suis désolé.

Un silence. Julia semblait retenir sa respiration.

— Pourquoi? s'enquit-elle enfin.

— Je n'ai pas vraiment dominé la situation, aujourd'hui.

Il eut un geste vague, cherchant avec difficulté les mots qui convenaient.

— Pendant le week-end, lorsque nous sommes restés seuls tous les deux, tout était... facile. Tout était simple. Mais ce matin, quand Mme Wolfe est arrivée... et ensuite, au bureau... cela m'a semblé...

— Compliqué?

— Non! Pas du tout! Mais... mais...

Jim serra les poings. L'obscurité lui parut soudain plus oppressante que jamais.

— Si... C'est compliqué... si compliqué !

Il y eut une autre pause, interminable. Puis Jim entendit les talons de Julia claquer sur le parquet du salon. Quelques secondes plus tard, la main de la jeune femme se posa doucement sur son bras droit.

— Je sais, lui dit-elle avec infiniment de douceur et de tristesse. Crois-moi, Jim. Je sais.

— Julia...

Il la désirait. Il avait besoin d'elle. Plus encore, il...

Ses pensées s'interrompirent brutalement. Plus encore ? Pouvait-il ressentir plus que du désir pour une femme ? Un mois plus tôt encore, il aurait répondu non sans l'ombre d'une hésitation. D'ailleurs, il ne se serait même pas posé la question. Mais maintenant...

— Moi non plus, je n'ai pas maîtrisé la situation, poursuivit Julia. Je suis d'accord avec toi, quand nous étions seuls tous les deux, tout paraissait s... simple.

Sa voix tremblait un peu. Il l'entendit respirer profondément, puis continuer :

— ... Mais ce n'était pas la vie réelle, Jim. Nous n'étions pas dans le monde de Mme Wolfe ou de ton bureau. Nous ne pouvons pas faire semblant...

— Même pas si nous le désirons très fort ?

— Il faut être honnêtes envers nous-mêmes, Jim.

— Et si nous essayions d'être honnêtes l'un envers l'autre ?

Un silence. Jim se demanda si elle allait répondre. Elle se décida enfin :

— C'est sans doute le plus difficile.

Doucement, très doucement, il tendit la main, la posa sur la joue d'une exquise douceur, dont il connaissait si bien les contours à présent. Puis il s'aventura sur la nuque gracile et s'aperçut que Julia avait relevé ses cheveux pour l'accompagner au bureau. Quelques mèches fines et légères s'enroulèrent autour de ses doigts.

— Nous sommes seuls tous les deux, ce soir encore, murmura-t-il.

— Je sais.

Jim l'enlaça. Il sentit son corps souple se lover contre le sien, il entendit le léger soupir qu'elle poussa en se blottissant contre lui. Elle tremblait comme une feuille. Et lui aussi.

— Aime-moi, supplia-t-il à voix basse.

Sans un mot, elle lui prit la main et l'entraîna vers sa chambre.

— Attends, laisse-moi..., balbutia-t-elle, tandis qu'il caressait voluptueusement ses seins à demi dénudés.

— Que veux-tu faire?

— Allumer la lampe de chevet.

Il l'attira contre lui, lui mordilla tendrement le lobe de l'oreille, puis le cou.

— Ce n'est pas fait? Je n'avais pas remarqué.

Ils atteignirent enfin le lit et Jim bascula sur la courtepointe satinée, entraînant Julia à sa suite. Ils se cognèrent contre un objet qu'ils ne s'attendaient pas à trouver là.

— Jim, attends! Qu'est-ce que... C'est une boîte. Et elle vient de...

Elle se pencha sur le paquet et lut le nom d'une luxueuse boutique de couture.

Jim jura intérieurement: il avait complètement oublié! Très tôt ce matin, il avait appelé ce magasin pour passer une commande. Puis, au cours de la journée, cela lui était sorti de l'idée.

— C'est adressé à mon nom, poursuivit Julia, perplexe.

— Alors, tu dois l'ouvrir! répliqua-t-il en s'efforçant d'adopter un ton naturel.

— Pourquoi ne me dis-tu pas plutôt ce qui se trouve à l'intérieur?

Jim fut surpris par le ton de sa voix. Il y avait de l'étonnement, de la méfiance, et encore quelque chose, qu'il ne parvenait pas à définir.

— Parce que je ne l'ai pas vu, Julia. J'ai seulement passé la commande.

— Quand ?

Il crut sentir sur lui son regard soupçonneux. Gêné, il passa une main dans ses cheveux.

— J'ai appelé du bureau. Une impulsion. Je n'ai pas pu résister.

Sur le moment, cela lui avait paru une excellente idée. Mais après la scène du restaurant, il ne savait plus que penser. Quelle allait être la réaction de Julia ?

Le silence dura une dizaine de secondes. Puis il entendit Julia défaire le paquet et soulever le couvercle. Il y eut le froissement du papier de soie. Puis une exclamation admirative.

— Oh ! Oh, Jim... Je n'avais jamais rien vu d'aussi joli !

Jim devina aussitôt les mots qui allaient suivre :

— ... Mais je ne peux pas accepter...

D'un geste de la main, il l'interrompit.

— Avant de continuer, il faut que tu saches. Ce cadeau ne t'est pas vraiment destiné.

— Ah non ?

— Non. C'est pour moi.

— Pour toi ? Tu as commandé une chemise de nuit de soie rose pâle pour toi ?

Julia éclata de rire.

— Je crains qu'elle ne soit pas tout à fait à ta taille !

— Ah bon, tu crois ? questionna-t-il, le plus sérieusement du monde.

— Tu es un peu trop large d'épaules pour entrer dans une taille trente-huit !

— Ah... Mais tes épaules, à toi, sont... parfaites, murmura-t-il en la caressant.

— Jim...

— Chut, ma chérie, ne dis rien. Oui, c'est un cadeau pour toi. Mais tu ne me dois rien, ma Julia. Crois-moi. Et puis c'est vrai, je l'ai achetée autant pour moi que pour toi.

— Comment cela ?

— Tu connais mon opinion sur ta chemise en pilou ? Et comme je tiens à récupérer ma robe de chambre en soie...

Julia demeura silencieuse un long moment. Jim respecta son silence, se découvrant une patience qu'il ignorait posséder.

— Jim ? dit-elle enfin. Aimerais-tu que je mette cette nouvelle chemise ?

— Cela me ferait un immense plaisir.

Alors, la jeune femme se déroba et il l'entendit se déshabiller. Une foule d'images se présenta à son esprit. Il imagina la courbe de ses hanches, sa taille fine, ses seins ronds et dressés, puis ses bras d'une blancheur de lait tendus vers lui...

— Ça y est ! annonça-t-elle.

Les images s'évanouirent, mais son désir subsista, plus fort que jamais. Il voulait la voir. Il fallait qu'il la voie ! Il y avait bien un moyen... mais cela dépendait d'elle.

— Jim ?

Il sursauta, comme s'il sortait d'un rêve.

— J'ai besoin de ton aide, dit-il simplement.

— Ce que tu me demandes est... très difficile pour moi, murmura Julia.

— Pourquoi ?

Jim lui encadra le visage de ses mains et l'attira vers lui. Ils se tenaient devant la psyché qui ornait un angle de la chambre.

— Je te l'ai dit, je n'aime pas me regarder.

— C'est moi qui veux te regarder, ma chérie. Dis-moi ce que je vois.

Julia observa longuement son reflet dans le miroir. Que lui dire ?

La demande de Jim l'avait tout d'abord choquée. Son visage s'était empourpré, puis elle avait eu un léger vertige.

— Je veux te voir, Julia. C'est ce que je désire le plus au monde, avait-il insisté, d'une voix vibrante de désir et de passion.

Jim n'imaginait pas quelle épreuve il lui imposait. Et si, dans ce miroir, elle voyait resurgir Juline... si le passé revenait l'engloutir ?

— Julia ?

Pourtant, il fallait qu'elle le fasse. Ne fût-ce que pour se prouver qu'elle pouvait surmonter cette épreuve.

— Tu vois une femme blonde, commença-t-elle.

Un sourire éclaira le visage de Jim.

— Très blonde ?

— Un blond pâle.

Un instant, son regard les engloba tous deux dans le miroir et elle fut frappée par le contraste qui les opposait : elle si blonde et lui si brun. D'une voix un peu rauque, elle poursuivit :

— Surtout par rapport à toi.

— Je n'avais pas pensé à ça, murmura-t-il en lui embrassant délicatement l'épaule.

— Pensé à quoi ?

— Que pendant que tu te regardes, tu vois également mon image près de toi. Cette idée me plaît. Elle me plaît beaucoup, poursuivit-il en laissant glisser ses mains sur les bras de la jeune femme.

Il s'aventura sur son ventre, sentit ses muscles se contracter. Elle se plaqua contre lui, leur étreinte se fit plus pressante, plus intime.

Lentement, les mains de Jim remontèrent sur ses seins. Leur pointe rose foncé se dressa contre l'étoffe légère et soyeuse de la chemise.

— Tu es si sensuelle, si passionnée, chuchota Jim, tandis qu'elle poussait un long gémissement de plaisir.

Il défit lentement les boutons en forme de perles qui fermaient le décolleté de la chemise, puis fit glisser le corsage sur les épaules de Julia.

— Sais-tu ce que je ressens, lorsque je tiens tes seins durs et fermes dans mes mains ?

Ses paroles sensuelles transpercèrent Julia comme une flèche brûlante. Elle voulut répondre, mais fut incapable d'articuler un son.

— J'ai l'impression de tenir des boutons de rose entre mes doigts, continua Jim de sa voix rauque, étouffée par la passion. Sont-ils roses, comme tes lèvres ?

— Oui, presque, balbutia-t-elle, chavirée.

Les mains de Jim glissèrent de nouveau sur son ventre, caressèrent voluptueusement ses hanches, puis le triangle de soie blond entre ses jambes.

Julia réprima un cri de surprise et de plaisir et se mit à trembler entre les bras de son amant. Celui-ci poursuivit ses caresses audacieuses, puis s'interrompit soudain pour lui demander :

— Parle-moi de tes yeux.

— Mes... yeux ?

Au prix d'un effort surhumain, Julia revint à la réalité.

— Ils sont bleus, parvint-elle à balbutier.

— Emerson m'a dit qu'ils avaient la couleur de la mer... avec une touche de vert.

— Emerson... t'a fait une description de moi ? Quand ?

Jim lui mordilla tendrement la nuque, provoquant un délicieux frisson.

— Le jour de ton arrivée.

— Mais... pourquoi ?
— Parce que je le lui ai demandé.
— Tu voulais savoir... comment j'étais ?
— Je voulais savoir si ton visage était aussi beau que ta voix.

Julia tourna le dos au miroir et les mains de son amant resserrèrent leur étreinte, comme pour l'empêcher de s'enfuir.

— Es-tu aussi belle que ta voix ?

Le cœur de Julia battait la chamade. Que répondre ?

— Lorsque je me regarde comme cela... je veux dire... pour *toi*... c'est à peine si... je me reconnais.

Jim fronça les sourcils.

— Peut-être... peut-être ne savais-tu pas te regarder, Julia.

Un silence. Julia eut l'impression étrange que leurs regards se croisaient dans le miroir.

— Tu es belle, chuchota soudain Jim, le souffle court.

Elle se haussa sur la pointe des pieds et noua les bras sur sa nuque.

— C'est toi qui me rends belle.

— Julia, ma chérie...

Jim était allongé sur son lit. Assise sur lui, Julia caressait tendrement son torse. Jamais elle ne s'était sentie aussi épanouie, aussi audacieuse, avec un homme. Du bout des doigts, elle suivait le sillon de ses muscles, enchantée des réactions qu'elle provoquait en lui.

Au bout d'un long moment, leurs corps s'unirent. Les mains de Jim se pressèrent sur sa taille fine et Julia plaqua sa poitrine contre lui, donnant et prenant à la fois un plaisir indicible. Elle voulait Jim... elle le voulait de toute son âme.

Très vite, elle ressentit les premières vagues de plaisir et elle s'abandonna totalement à son amant. Celui-ci roula sur lui-même pour se retrouver au-dessus d'elle, prendre encore plus profondément possession de son corps.

Et bientôt, une onde brûlante les submergea et, unis dans un même cri, ils atteignirent le sommet du plaisir et de l'extase.

— Tu es belle, murmura-t-il en enfouissant le visage au creux de son épaule.

Un peu plus tard, Julia s'endormait contre lui, apaisée, confiante.

13.

— Bonjour, mademoiselle Kendricks.

Julia sursauta et manqua laisser tomber la cafetière.

— Emerson ! Que faites-vous ici ?

Le maître d'hôtel la toisa et Julia regretta amèrement de ne pas avoir revêtu sa vieille chemise en pilou, plutôt que la superbe nuisette de soie offerte par Jim, pour préparer le petit déjeuner.

— Vous ne m'attendiez pas ? questionna Emerson.

Julia sentit ses joues s'enflammer.

— Eh bien... euh... nous savions que vous deviez revenir ce matin, mais... il est tellement tôt...

— J'ai pris le premier vol en provenance de New York.

Se forçant à sourire, Julia déclara :

— Vous étiez donc si impatient de...

Un cri, suivi d'un grand fracas, leur parvint alors. Puis, le silence...

Julia se précipita dans le hall, Emerson sur ses talons.

— Son état est stationnaire, déclara Dennis Mitchell, en passant une main lasse sur son front.

— Mais cela fait déjà douze heures ! s'exclama Julia.

Emerson se tenait à sa droite, raide, immobile. Aucun sentiment ne transparaissait sur son visage impassible. A côté de lui, se trouvait Nancy Hansen. Julia ignorait qui avait prévenu la secrétaire, mais elle lui était reconnaissante d'être venue. Son calme et sa maîtrise de soi étaient rassurants.

— Vous savez forcément quelque chose, Dennis !

— Mais, Julia...

— Vous ne pouvez imaginer ce que j'ai ressenti, quand j'ai vu Jim, étendu de tout son long au pied de l'escalier !

Cette image ne la quitterait jamais. Jusqu'à la fin de ses jours, elle reverrait son cher Jim inanimé sur le sol. Persuadée qu'il était mort, elle avait vécu des secondes terribles. Puis il avait poussé un gémissement, presque imperceptible. Aucun mot ne pouvait décrire le soulagement qu'elle avait alors ressenti.

— Je sais que c'est dur, reprit Dennis. Mais nous ne pouvons rien faire, sinon attendre. Dieu merci, il n'a rien de cassé et il n'y a pas d'hémorragie interne. Apparemment.

— Apparemment ? releva Nancy Hansen.

— C'est une éventualité qu'il faut envisager dans ce genre de cas, reconnut Dennis à contrecœur.

— Vous voulez dire que... il existe une possibilité que Jim soit plongé dans un coma... définitif ? intervint Emerson.

Dennis hésita, puis finit par acquiescer d'un signe.

— Jim était conscient quand nous l'avons trouvé, balbutia Julia, s'accrochant à cet espoir. Il m'a reconnue quand je lui ai pris la main et il a prononcé mon nom...

Sa voix se brisa.

Tout va bien... vous n'avez plus rien à craindre. On va vous aider.

Les mots remontèrent du fond de sa mémoire. Les mots prononcés par un homme riche et puissant, à l'adresse d'une pauvre adolescente égarée.

C'étaient les mêmes mots de soutien et d'encouragement qu'elle avait chuchotés ce matin à l'homme qu'elle aimait.

Dans un brouillard, elle entendit la voix lointaine de Nancy Hansen qui lui demandait si elle se sentait bien. Emerson glissa un bras autour de sa taille. Le monde tourbillonna et elle sombra dans une nuit épaisse.

— Ah... excusez-moi.

Julia tressaillit et se redressa, le cœur battant.

— Que se passe-t-il? demanda-t-elle, anxieuse, à l'homme qui lui avait adressé la parole.

Son visage lui parut vaguement familier.

— Vous êtes bien Julia Kendricks, n'est-ce pas?

— Oui.

Du coin de l'œil, elle consulta la pendule accrochée dans le corridor. Puis son regard se posa sur une porte fermée : la chambre de Jim. Pourquoi ne lui disait-on rien? Toutes ses questions n'obtenaient que des réponses évasives. Dennis Mitchell avait pénétré dans la chambre de Jim, quarante minutes auparavant, en compagnie d'un autre médecin et d'une infirmière. Depuis, plus rien. L'attente... insoutenable.

Qui était cet homme? Elle était sûre de l'avoir déjà rencontré, mais où?

— Vous ne vous souvenez sans doute pas de moi, dit-il en lui tendant la main. Je suis...

— Todd Reilly! s'exclama-t-elle en se levant. Je me rappelle, maintenant. Comment va votre petite fille? Euh... Mary Margaret?

— Peggy va beaucoup mieux, merci, répondit-il avec un bon sourire. Elle a même réussi à bouger les jambes, dimanche dernier.

— Oh, c'est merveilleux, monsieur Reilly!

— Todd, appelez-moi Todd. Oui, c'est merveilleux... un vrai miracle!

Il fit une pause et s'éclaircit la gorge.

— Je suppose que vous êtes ici pour Jim. Nancy Hansen m'a raconté ce qui s'était passé. Il a fait une mauvaise chute...

Julia hocha la tête et lança un autre regard vers la porte de la chambre. Combien de temps encore allait-on la laisser dans l'ignorance?

— Vous devriez vous asseoir, mademoiselle Kendricks, lui conseilla Todd.

Saisie d'un vertige, elle obéit et se laissa tomber dans un fauteuil.

— Désolée, je... je suis...

— Je comprends, je comprends, murmura Todd en s'asseyant à côté d'elle.

Elle sourit faiblement.

— Etes-vous venue seule?

— Nancy Hansen est passée plusieurs fois depuis hier. Et Emerson, le maître d'hôtel de Jim, ne doit pas être loin. Je crois qu'il est allé prendre un café.

— J'espère que vous avez pris votre petit déjeuner...

— Je n'ai pas faim, répondit Julia, écœurée à la seule pensée de la nourriture.

Todd Reilly s'abstint de lui faire la morale sur ce point. Il lui demanda simplement :

— Comment va Jim? Nancy est demeurée assez vague sur ce point.

— Personne ne le sait! s'exclama Julia, soudain envahie d'une vague de colère. On ne me dit rien...

— Il s'est montré si bon pour Peggy! fit observer Todd, pensif. Vendredi dernier, il m'a... réellement étonné. Je veux dire... J'ai toujours eu de l'admiration pour l'homme d'affaires qu'est Jim. Mais à dire vrai, je ne l'ai jamais... euh...

— Aimé? suggéra Julia.

D'abord surpris, Todd hocha lentement la tête.

— C'est cela... Mais le Jim Williams que j'ai vu

vendredi à la réunion était tout différent, je ne l'ai pas reconnu. Peut-être ne le connaissais-je pas vraiment bien, je n'avais pas remarqué...

— Julia?

C'était la voix de Dennis Mitchell. Visiblement, il était très ému.

— Oui, répondit-elle, le cœur battant à grands coups.

Dennis sourit, radieux.

— Jim désire vous voir.

— Me... voir?

Dennis hocha la tête. Et Julia comprit qu'il n'avait pas choisi ce mot par hasard.

— Julia?

Emue aux larmes, elle ne put articuler un son. Dans la pénombre de la chambre, elle contempla l'homme qu'elle aimait.

— Julia? répéta Jim, d'une voix ferme, presque autoritaire.

— Oui, parvint-elle à répondre.

Jim tendit la main. Elle hésita une seconde puis avança vers le lit.

Leurs mains se joignirent, leurs doigts s'entrecroisèrent.

Julia observa le visage aimé. Une lèvre était tuméfiée et la joue gauche bleuie par le choc. L'arcade sourcilière s'était fendue dans la chute et Jim en garderait probablement une cicatrice.

Il était un peu plus pâle qu'à l'ordinaire.

— Je suis défiguré? s'enquit-il en la dévisageant.

— Non. Pas du tout.

Jim esquissa un sourire.

— N'essaye pas de me mentir. Je me suis vu dans un miroir.

Julia retint son souffle.

— Alors, ta vue est...

— Revenue. Je vois aussi bien qu'avant l'accident.

— Oh, Jim ! s'exclama Julia, partagée entre le rire et les larmes.

— Je descendais l'escalier... j'ai été ébloui par un éclair de lumière... aussi puissant que le flash d'un appareil photo.

— C'est ce qui a causé ta chute ?

Jim fit un signe de tête.

— Je crois que je t'ai vue, avant de m'évanouir. Tu étais agenouillée près de moi. Tu as pris ma main et tu m'as chuchoté des paroles de réconfort. C'était très étrange, Julia... J'ai eu l'impression de revivre une scène... je ne savais pas si je rêvais, ou si c'était la réalité.

Il leva la main et lui caressa doucement le visage.

— Emerson avait raison, tes yeux ont la couleur de la mer. Bleu-vert, lumineux... Cela me rappelle...

Il fronça les sourcils, fouilla son impression... et Julia eut un frémissement d'appréhension. A cet instant, à son grand soulagement, elle entendit la porte s'ouvrir. Qui aurait cru que Jim se rappelait la couleur des yeux de Juline Fischer ?

— Excusez-moi, mais il y a une autre visite pour toi, Jim.

— Emerson ?

— Lui-même, déclara le valet en faisant quelques pas dans la chambre.

— Je suis content de vous revoir, Emerson, dit Jim d'une voix étranglée par l'émotion.

Le visage d'Emerson s'éclaira et Julia sentit ses yeux se remplir de larmes.

Deux jours plus tard, les yeux secs et les traits tendus, elle préparait sa valise. Ses mouvements étaient saccadés, mécaniques.

— C'est sérieux ? s'enquit Emerson, atterré. Vous voulez partir ? Comme ça ?

— Comme ça, confirma-t-elle en tirant sur la fermeture Eclair de son sac.

— Que dira Jim, à son retour de l'hôpital ?

Julia observa l'expression catastrophée du vieil homme.

— Jim avait besoin de moi parce qu'il était aveugle. A présent...

— Ce n'est pas ce que je voulais dire.

Emerson avança au milieu de la chambre et s'arrêta près du lit.

— Ce garçon ne saura pas que penser.

C'était la première fois qu'elle entendait Emerson appeler Jim « ce garçon ». Elle n'en fut pas étonnée outre mesure. Dès son arrivée, elle avait remarqué l'attitude paternelle d'Emerson vis-à-vis de Jim.

— Je lui ai laissé une lettre, répondit-elle en désignant une enveloppe sur la table de chevet. Mon travail ici est terminé, Emerson. Je n'ai aucune raison de rester davantage.

— L'amour de Jim n'est donc pas une raison suffisante ? lança le maître d'hôtel.

Le cœur de Julia fit un bond. Elle ne voulait plus entendre parler d'amour... Elle se laissa tomber assise au bord du lit.

— Jim ne me connaît pas.

— Croyez-vous ?

— Non. Il ne peut pas me connaître, articula-t-elle avec difficulté.

Les yeux dans le vague, Julia contempla sans les voir ses affaires éparpillées sur le lit. Un portefeuille, des stylos, un carnet d'adresses, son billet d'avion.

— Je voudrais savoir une chose, dit Emerson au bout d'une minute. Cette lettre... comment l'avez-vous signée ?

Abasourdie, Julia leva la tête.

— Je... ne comprends pas votre question.

— Avez-vous écrit Julia, ou... *Juline* ?

Julia sentit son estomac se nouer. Un goût amer lui envahit la bouche.

— Vous... vous savez..., chuchota-t-elle en dévisageant Emerson.

— Jusqu'à maintenant, je n'en étais pas tout à fait certain.

— Mais... comment ?

Emerson eut l'air soudain très las.

— Avant même de vous voir, j'avais trouvé étrange les recommandations pressantes de Dennis Mitchell, pour pousser Jim à vous engager. Puis, le jour de votre arrivée, j'ai eu le sentiment de savoir qui vous étiez. Cette idée ne me quittait pas. Finalement, j'ai exhumé de vieilles coupures de journaux que je gardais dans mon secrétaire. Elles sont toutes à votre disposition. Si vous voulez...

— Je les connais, je sais ce qu'elles disent, rétorqua Julia d'une voix sourde.

Quelques secondes s'écoulèrent en silence, puis Emerson reprit :

— Il y avait une photo de vous. Même dix ans après, on vous reconnaît très bien.

— Puisque vous savez... vous devez comprendre pourquoi... je m'en vais, murmura-t-elle lentement.

— Non.

— Pour l'amour du ciel, Emerson ! J'étais à la rue, mon petit ami voulait m'obliger à me prostituer !

— Il y a encore un mois, Jim Williams était un homme seul, coupé du monde. Non par indifférence ou par dureté, comme certaines personnes le pensent — Jim n'est pas comme son père... Vous êtes parvenue à briser les défenses qu'il avait élevées pour se protéger de l'extérieur. Vous seule avez pu atteindre sa sensibilité...

— *Julia Kendricks* a fait cela.

— Et n'êtes-vous pas Julia Kendricks ?

Julia revit l'image de cette femme, qu'elle avait contemplée dans la psyché de la chambre. Une femme blonde, aux yeux d'aigue-marine. Une femme que Jim trouvait belle. Elle aurait aimé croire qu'elle était bien cette femme, mais elle ne pouvait s'en persuader tout à fait.

— J'ai voulu payer ma dette à Jim Williams. Mais il n'y a rien d'autre...

Un éclair de fureur brilla dans les prunelles bleu pâle d'Emerson.

— Non. Vous êtes peut-être venue à lui par reconnaissance. Mais ce n'est pas la reconnaissance qui vous a retenue ici ces dernières semaines. Je sais reconnaître l'expression d'une femme...

— Non, Emerson. Ne dites rien. Jim et moi ne sommes pas... nous ne pouvons pas... Oh, Emerson, essayez de comprendre. Je ne peux pas rester.

— Vous allez l'abandonner à son ancien monde, alors? Le monde de Stéphanie Talcott et des autres?

Julia eut un haut-le-corps. Stéphanie avait rendu visite à Jim, la veille. La jolie rousse avait fait irruption dans la chambre d'hôpital, un superbe bouquet de fleurs exotiques sous le bras. Elle s'était montrée pleine de sollicitude envers Jim, avait même un peu flirté avec lui. Celui-ci avait paru amusé.

— Jim voit Mme Talcott telle qu'elle est, dit-elle.

— Dans ce cas, pourquoi ne ferait-il pas de même avec vous? s'écria Emerson, irrité.

Le regard de Jim passa de Dennis Mitchell à Emerson. Quelque chose n'allait pas.

Il venait de rentrer de l'hôpital, en compagnie de Dennis. Avant même qu'ils aient pu sonner, Emerson avait ouvert la porte d'entrée. Puis, Jim avait demandé à voir celle qu'il attendait avec impatience de tenir dans ses bras.

Emerson lui avait offert une réponse des plus succinctes.

— Elle n'est pas là ? Que voulez-vous dire, Emerson ?

— Mlle Kendricks est partie il y a environ quatre heures.

— Je ne peux le croire ! Julia ne partirait pas... sans un mot !

D'un geste, Dennis tenta d'apaiser son ami. Mais celui-ci le repoussa.

— Emerson, dites-moi...

— Elle a laissé une lettre pour vous, répondit le maître d'hôtel en lui tendant une enveloppe.

Jim déchira l'enveloppe blanche et déchiffra l'écriture large et élégante de Julia. Interdit, il lut plusieurs fois l'incroyable message. Puis il prit une profonde inspiration et lut à haute voix, pour ses compagnons :

— « Jim, Merci pour tout. Je vous dois bien plus que je ne peux l'exprimer. Ne croyez pas que je parte de gaieté de cœur. Mais je sais que je ne peux plus rien pour vous. Si un jour vous avez besoin de moi... »

La voix de Jim se brisa.

— Si j'ai besoin d'elle ? Mon Dieu, mais ne sait-elle pas...

— Julia ne sait-elle pas quoi ? intervint doucement Emerson.

Jim leva les yeux. Il était comme un homme au bord du gouffre. Deux solutions se présentaient à lui : redevenir celui qu'il était avant l'accident, ou bien... devenir celui qu'il avait entrevu pendant ces semaines d'obscurité. Si seulement il parvenait à s'ouvrir à la lumière de la vie...

— Ne sait-elle pas... que je l'aime ? Et que je veux l'épouser ?

Il y eut une longue, très longue pause. Puis Emerson toussota, signe qu'il avait une déclaration à faire.

— Il faut que je vous montre quelque chose, Jim. Voulez-vous vous rendre dans votre bureau ?

⁂

Si Dennis ne l'avait pas obligé à s'asseoir, Jim serait probablement tombé en découvrant ce qu'Emerson voulait lui montrer. Son cœur se mit à battre violemment, tandis qu'il feuilletait les articles vieux de dix ans. C'était comme si les pièces du puzzle se mettaient en place d'elles-mêmes.

Juline Fischer... la jeune fille qu'il avait sauvée... et abandonnée !

Julia Kendricks... la superbe femme qui l'avait aidé à sortir de sa nuit... et l'avait laissé seul dans la lumière.

— Elle a remboursé sa dette..., marmonna-t-il entre ses dents.

— J'espère que vous n'exprimez pas le fond de votre pensée, déclara Emerson d'un ton coupant. Vous seriez un fieffé imbécile !

Jim dévisagea le vieil homme et fut stupéfait de voir la colère et l'émotion inscrites sur son visage.

— Non, Emerson, je ne pense pas que Julia ait agi ainsi simplement pour me rendre la monnaie de ma pièce. Dennis... tu étais au courant, n'est-ce pas ?

Dennis Mitchell acquiesça gravement, d'un hochement de tête.

— Pourquoi ne m'as-tu rien dit ?

— Tu avais besoin que quelqu'un t'aide. Julia Kendricks me semblait la personne toute désignée. Tout ce qu'elle m'a demandé, c'est de ne rien révéler au sujet de Juline Fischer.

— Et vous, Emerson ? Vous saviez aussi ?

— Je n'étais certain de rien, jusqu'à ce matin.

— Vous avez... parlé à Julia ?

Le maître d'hôtel se raidit.

— Je ne l'ai pas chassée d'ici, Jim !

— Je sais, répondit Jim avec sincérité.

Emerson avait probablement voulu persuader Julia de rester.

— Pourquoi ne m'a-t-elle rien dit? articula-t-il tristement. Au début, je comprends. Mais après... quand nous...

— Pourquoi ne pas lui avoir dit que vous l'aimiez? lança Emerson, d'un ton de défi.

— Parce que je viens juste de m'en apercevoir. Mais même si je l'avais su... avant... Je ne pouvais rien dire tant que j'étais aveugle. Appelez ça de la fierté, si vous voulez. La peur qu'elle s'apitoie sur moi... je ne sais pas...

— Crois-tu que cela la gênait, que tu sois aveugle? questionna Dennis.

— Elle m'a posé la question une fois. Je lui ai répondu que cela me gênait, *moi*. Il me semble que tout ça s'est passé il y a un siècle. Tout ce que je veux maintenant, c'est retrouver Julia Kendricks, la femme qui m'a aidé à voir clair en moi-même alors que j'étais aveugle. Il faut que je la retrouve.

Dennis et Emerson échangèrent un regard perplexe.

— Julia ne m'a pas donné d'adresse, confessa Dennis.

— Où as-tu adressé son dernier chèque?

— Julia ne voulait pas être payée, Jim. Cela faisait partie du marché que nous avons conclu.

Jim soupira.

— Dans ce cas, il faut retrouver sa famille. Les Kendricks. Elle m'a parlé de son frère Peter, il va à l'université, mais...

— Je pense que vous devriez orienter vos recherches vers la Floride du sud, intervint tranquillement Emerson. Ce matin, Julia a laissé tomber son billet d'avion et j'ai pu y jeter un coup d'œil.

— Vous êtes sûr de pouvoir accomplir ce voyage seul? s'enquit Emerson, le mardi suivant.

— Je me sens très bien. Il me faudra moins de cinq

heures pour atteindre Boca Raton. Le détective privé m'a donné toutes les indications.

— Je ne suis pas inquiet pour le vol. Mais vous n'avez pas conduit depuis l'accident et les voitures de location...

— Je sais, Emerson. Mais je vous promets que tout ira bien. Vous avez toujours veillé sur moi, n'est-ce pas, Emerson ? Et je ne vous ai jamais remercié.

— C'est inutile, Jim...

— Si, Emerson. Depuis le jour où vous m'avez appelé à l'école, pour me dire que ma mère était en train de mourir, vous avez toujours été là, à mes côtés. Je me rends compte maintenant que vous avez agi comme un père envers moi, Emerson.

Le vieil homme détourna le regard.

— Votre mère m'a demandé de... de...

— Vous l'aimiez.

Emerson hésita une seconde, puis fit un signe de tête.

— Et elle vous aimait.

— Non ! Votre mère était une femme honnête, une épouse fidèle... Je ne veux pas que vous pensiez que nous...

— Si c'était le cas...

Jim eut du mal à trouver ses mots.

— ... Son mariage avec mon père fut un désastre. Je serais heureux de savoir qu'elle a connu un peu de bonheur grâce à vous.

— Vous étiez son seul bonheur, Jim. Si elle ne vous avait pas eu...

— ... Elle aurait quitté son mari pour partir avec vous.

Emerson soupira lourdement.

— Sa famille l'avait obligée à ce mariage... pour l'argent. Archer Williams a sauvé le père de Margaret de la faillite et elle se sentait redevable envers lui. De plus, elle savait que, si elle choisissait de partir, elle ne pourrait vous garder. Archer ne l'aurait pas permis. Alors, elle a décidé de rester. Et moi aussi.

— Il n'a jamais rien soupçonné, n'est-ce pas?

Emerson eut une expression de mépris.

— Archer Williams était l'homme le moins clairvoyant que la terre ait porté. Il n'a jamais vu la vérité sur les autres, ni sur lui-même.

Un klaxon résonna dans l'allée. C'était le taxi.

— Il faut que je m'en aille, Emerson.

— Bon voyage, Jim. Jim? Quand vous verrez Julia, voudrez-vous lui dire que j'ai fait ce qui me semblait nécessaire?

Jim sourit, le cœur plein de gratitude.

— J'ai une meilleure idée, Emerson. Je la ramènerai à Boston et vous le lui direz vous-même.

14.

La maison des Kendricks était un joli bungalow blanc, situé dans les environs de Boca Raton. Jim descendit de voiture et glissa la main droite au fond de sa poche, pour vérifier que la petite boîte de velours était bien là, comme un talisman.

Trente secondes plus tard, il frappa à la porte. Celle-ci fut ouverte par deux adolescents. L'un, grand et musclé, était métis, l'autre, plus petit, avait le type asiatique.

— Oui ?

— Je cherche la maison des Kendricks, balbutia Jim, désarçonné.

Il s'était forcément trompé ! Ces garçons ne pouvaient être...

— Vous y êtes, monsieur. Je m'appelle Ty et voici mon frère Lee.

— Mais... je pensais que vous étiez... jumeaux.

Ty et Lee échangèrent un regard stupéfait.

— Quoi ? Vous voulez dire que nous ne le sommes pas ? s'enquit Ty, l'air ahuri.

— C'est peut-être pour ça que tu n'as pas le sens du rythme, ajouta Lee, l'air malicieux.

Une voix résonna derrière eux :

— Qui est là ?

Un gamin d'une quinzaine d'années, roux, le visage criblé de taches de rousseur, apparut sur le seuil. Jim le reconnut aussitôt. Julia lui avait tant parlé de lui...

— Peter? Peter Kendricks?

Le garçon hocha la tête, hésita et sourit.

— Vous devez être Jim Williams.

— Jim Williams? s'exclama Lee, avec une soudaine hostilité. Le gars qui...

— Il était temps! ajouta Ty, visiblement furieux.

— Vous... m'attendiez?

Ce fut Peter qui répondit :

— Pas vraiment. Mais il vaut mieux que vous soyez venu. Ty et Lee parlaient de partir à votre recherche pour vous donner une leçon.

— Menteur! C'est toi qui voulais lui casser ta canne sur la tête, parce qu'il avait fait pleurer Julia...

Jim sentit son cœur battre à se rompre.

— Julia est bien ici?

Ignorant sa question, les trois gamins continuèrent à échanger leurs impressions.

— Je vous en prie, répondez-moi! s'exclama Jim, à bout de nerfs. Il faut que je sache si Julia est ici!

Il y eut un silence étonné et Peter finit par répondre :

— Elle est dans le jardin. Vous voulez la voir?

— C'est mon désir le plus cher.

Julia devina la présence de Jim avant même de le voir. Elle se tourna et l'aperçut, debout sous la véranda.

— Jim, murmura-t-elle.

Jim Archer Williams... Depuis son départ de Boston, elle rêvait de lui chaque nuit.

— Tu ne croyais pas que j'allais te laisser partir comme ça, Julia?

— Je... je ne pouvais pas rester. Tu as recouvré la vue et... tu n'as plus...

— Besoin de toi? Tu penses également que je ne te désire plus? Ne t'aime plus?

Julia crut que son cœur allait s'arrêter de battre.

— Tu... m'aimes donc ? questionna-t-elle, d'une voix tremblante.

— De tout mon cœur.

— Non. C'est impossible, Jim. Tu ne *sais* pas...

— Je sais que je ne me suis jamais pardonné d'avoir abandonné une certaine Juline Fischer, par un soir d'hiver, il y a dix ans.

Le monde se mit à tournoyer. Julia ferma les yeux. Une seconde plus tard, elle sentit les bras de Jim se refermer autour d'elle. Elle voulut se dégager, mais il resserra son étreinte. Alors, elle cessa de résister et s'abandonna contre lui.

Peu après, elle ouvrit les yeux, plongea ses prunelles bleu-vert dans les prunelles sombres de son bien-aimé.

— Emerson t'a tout dit ?

— Emerson et Dennis. J'aurais préféré que ce soit toi.

— Je ne pouvais pas.

— Je comprends.

— Comment peux-tu dire que tu m'aimes, alors que tu sais qui je suis en réalité...

— Je sais qui tu es, Julia. Je sais aussi tout ce qui t'est arrivé et je hais les gens qui t'ont fait souffrir. Grâce à Dieu, il s'en est trouvé d'autres pour t'aider. Je t'aime, ma chérie, je t'aime et je veux t'épouser.

— Tu veux... ?

Il l'observa avec anxiété, guettant sa réponse.

« Il ne sait pas ! songea-t-elle en un éclair. Il ne sait pas que je l'aime. »

— Si tu n'as agi que par gratitude, dis-le-moi, murmura-t-il d'une voix que l'émotion étranglait. Mais si...

— Oh, Jim ! Je t'aime ! Je t'aime tant...

Sur ces mots, elle se haussa sur la pointe des pieds et l'embrassa avec toute la passion dont elle était capable. Jim eut la vague impression que trois paires d'yeux les espionnaient de l'intérieur de la maison...

— Me pardonneras-tu ce que j'ai fait à Juline Fischer? demanda-t-il en prenant son fin visage entre ses mains.

— Te pardonner? Mais... tu m'as sauvé la vie, Jim! Sans toi, Bobby m'aurait tuée.

— Et puis je t'ai abandonnée.

— Ne vois-tu pas que... c'est toi qui m'as offert une seconde chance? C'est grâce à toi que j'ai rencontré les Kendricks et que j'ai pu devenir Julia.

— Non. Ceci est arrivé par ta propre volonté. Beaucoup de gens ont une seconde chance, mais ils ne s'en rendent pas compte, ils la gaspillent. Mais toi... oh, mon Dieu... quand je pense à ce que tu as fait pendant ces dix années... Et grâce à toi, maintenant, je ne suis plus le même homme qu'il y a dix ans. Je ne suis plus vide, comme autrefois, je ne suis...

— Chut... Jim, mon amour, je t'aime... ne pense plus au passé.

Ils échangèrent un regard empli d'amour et de désir. Puis Jim sortit de sa poche le coffret de velours et l'ouvrit. Il contenait un simple anneau d'or, orné d'une perle.

— Elle appartenait à ma mère, qui me l'a donnée avant de mourir, pour que je l'offre à ma future femme. Veux-tu m'épouser, Julia?

— Oh, Jim... oui. Oh, oui!

Deux semaines plus tard, Julia Kendricks devenait Mme Jim Archer Williams.

Le marié avait deux témoins : Talley O'Hara Emerson et le Dr Dennis Mitchell.

La mariée fut menée à l'autel par son père adoptif, John.

La cérémonie fut très émouvante et Nancy Hansen, elle-même, ne put retenir ses larmes.

Quand ils prononcèrent les paroles qui devaient les unir pour toujours, Julia et Jim échangèrent un long regard, dans lequel ils découvrirent un avenir illuminé par l'amour.

Chère lectrice,

Vous nous êtes fidèle depuis longtemps?
Vous venez de faire notre connaissance?

C'est pour votre plaisir que nous avons imaginé un rendez-vous chaque mois avec vos auteurs préférés, vos AUTEURS VEDETTE *dans les collections* Azur *et* Horizon.

Les AUTEURS VEDETTE *vous donneront rendez-vous pour de nouveaux livres vedette.*

Pour les reconnaître, cherchez l'étoile... Elle vous guidera!

Éditions Harlequin

LE FORUM DES LECTRICES

CHÈRES LECTRICES,

VOUS NOUS ÊTES FIDÈLES DEPUIS LONGTEMPS ?

VOUS VENEZ DE FAIRE NOTRE CONNAISSANCE ?

SI VOUS AVEZ DES COMMENTAIRES, CRITIQUES À FORMULER, DES SUGGESTIONS À OFFRIR, N'HÉSITEZ PAS...
ÉCRIVEZ-NOUS À : LES ENTREPRISES HARLEQUIN LTÉE.
498 RUE ODILE
FABREVILLE, LAVAL, QUÉBEC.
H7R 5X1

C'EST AVEC VOS PRÉCIEUX COMMENTAIRES QUE NOUS ALLONS POUVOIR MIEUX VOUS SERVIR.

MERCI, À L'AVANCE, DE VOTRE COOPÉRATION.

BONNE LECTURE.

HARLEQUIN.

VOTRE PASSEPORT POUR LE MONDE DE L'AMOUR.

Composé sur le serveur d'EURONUMÉRIQUE, À MONTROUGE
PAR LES ÉDITIONS HARLEQUIN
Achevé d'imprimer en novembre 1995
sur les presses de l'Imprimerie Bussière
à Saint-Amand-Montrond (Cher)
Dépôt légal : décembre 1995
N° d'imprimeur : 2597 — N° d'éditeur : 5878

Imprimé en France